LEPEL

www.leopold.nl

Mieke de Jong | Akke Holsteijn

LEPEL

LEOPOLD / AMSTERDAM

Wil je meer weten over de film *Lepel*?
Kijk dan op www.lepeldefilm.nl

NEDERLANDSE
KINDERJURY
2006

Tweede druk 2005
Copyright © Akke Holsteijn en Mieke de Jong 2005
Copyright © omslag 2004 Warner Bros. Ent. All rights reserved
Omslagontwerp Marjo Starink
Uitgeverij Leopold, Amsterdam
NUR 282/283 | ISBN 90 258 4614 9

1

'Een beetje doorwerken jij!' roept oma Koppenol met een mond vol ijs. In een roze trainingspak zit ze op de bank naar een televisieshow te kijken. Het geluid staat hard aan. Ze heeft een grote sorbet in haar hand.

Lepel zit achter haar in de winkel naast een enorme berg knopen. Om hem heen staan dozen. Hij gooit elke knoop in de juiste doos. De gele knopen bij de gele, de rode knopen bij de rode en de blauwe bij de blauwe knopen. Alles op kleur en op grootte.

Lepel werkt snel, maar hij doet het werk dan ook al jaren.

'Er is nog meer te doen!' klinkt de stem van zijn oma uit de voorkamer.

Lepel zucht. Hij kijkt naar buiten. Door het raam ziet hij de wolken jagen. Terwijl de knopen door zijn handen schieten, dwalen zijn gedachten af.

Hij ziet een prachtige luchtballon die door de wind wordt meegevoerd. De ballon gaat over bergen en bossen, over velden en zeeën. In de mand onder de ballon zit Lepel met zijn vader en moeder. Zijn vader en moeder zijn ballonvaarders. Ze reizen met de ballon over de wereld. Lepel zelf is nog een peuter. Hij zit stevig vast in een tuigje. Zijn vader gooit af en toe zakjes zand uit de ballon, zodat die stijgt. Zijn moeder wijst hem op de dingen beneden hen: 'Kijk Lepel, een schip op zee! En daar: een groep giraffen bij een meertje!'

Lepel voelt de warme armen van zijn moeder om zich heen. Hij hoort het liedje dat zijn vader voor hem zingt.

Hij schrikt op als Koppenol een nieuwe zak knopen op de tafel stort.

'Wat zit je nou te prutsen! Waar heb je die kleine vingertjes nou voor!? Sneller! En denk erom, de afwas wacht ook op je. En je moet de vuilnisbak nog legen.'

'Oma,' vraagt Lepel, 'wanneer komen papa en mama terug?'

'Hoe moet ik dat nou weten? Dat ligt aan de wind,' snauwt Koppenol.

'Denkt u wel dat ze komen, oma?'

'Hou d'r toch eens over op. Weet je wel hoe groot de wereld is? Een wereldreis kost tijd. Ze komen als ze komen. Niet eerder en niet later.'

'Maar kan het wel,' houdt Lepel vol, 'dat ze vandaag komen?'

'Kijk dan naar buiten,' zegt Koppenol geïrriteerd. 'Waait het soms? Nee? Nou dan, dan staan ze stil. En als het wel waait, dan gaan ze hard. Onze kant op, of juist de andere kant op.' Ze lacht om zichzelf en neemt een grote hap ijs.

Verdrietig gaat Lepel verder met het sorteren van de knopen. Als hij de berg knopen en de afwas eindelijk heeft weggewerkt, loopt hij naar buiten om de vuilnisbak te legen. Hij zet de afvalzak buiten en kijkt omhoog naar de donkere avondlucht. Het waait hard.

Lepel denkt aan zijn ouders in de luchtballon. Kwamen ze hem maar halen, zijn ouders. Kwamen ze nu maar. Vandaag.

2

'444 x 18 = 7992,' dreunt Lepel op. Hij staat voor de klas. De sommen op het schoolbord kosten hem geen enkele moeite. '8$\frac{4}{5}$ - 6$\frac{2}{20}$ = 2$\frac{7}{10}$.'

Lepel houdt van rekenen en van cijfers. Hij leest verder op, maar in de klas zit niemand op te letten. Anne, die vooraan zit, kijkt Lepel scheel aan, terwijl ze heel langzaam een enorme kauwgombel blaast. En achterin schiet Simon propjes door de klas.

Meester Bijts heeft niets in de gaten. Gebogen staat hij over zijn rekenmachientje. Hij probeert Lepel bij te houden. Met een rood hoofd van inspanning tikt hij de sommen in die Lepel voorleest. 'Goed!' juicht hij na de eerste som. 'En de tweede ook! Allemaal goed!' Lepel lacht blij.

Simon schiet een propje in zijn haar. Lepels gezicht betrekt. Meester Bijts ratelt alweer de volgende rekenopgave.

'Een auto rijdt met een snelheid van 84 kilometer per uur van A naar B. Hij is 3 uur en 3 minuten onderweg. Hoe groot is de afstand van A tot B?' vraagt hij en hij kijkt Lepel streng aan over zijn leesbril.

Makkelijk, denkt Lepel en hij zegt: '256 kilometer en 200 meter.'

'Yes!' roept Bijts en hij geeft zijn rekenmachientje een tevreden klopje.

De bel gaat.

Eindelijk. De kinderen springen op. Maar te vroeg.

'Zitten!' buldert de stem van Bijts door het lokaal. 'Wie heeft gezegd dat jullie weg mochten?!'

Teleurgesteld gaan de kinderen weer zitten.

'We waren nog niet klaar met de sommen,' zegt Bijts vals. En heel langzaam leest hij voor: 'Als de auto tegenwind heeft, waardoor hij slechts halve snelheid haalt, en hij gebruikt 1 liter benzine op 11 kilometer, en in de tank gaat 67 liter benzine, hoeveel benzine heeft hij dan over bij B, als hij met een volle tank A verlaat?'

Snel antwoordt Lepel: '43,7 liter.'

Bijts kijkt op zijn rekenmachine naar het antwoord. 'Drieënveertig komma zeven liter,' herhaalt hij triomfantelijk, 'dat is juist geantwoord! En dat betekent,' zegt hij terwijl hij over zijn leesbril de klas in kijkt, 'dat de Pancratiusschool dit jaar voor het eerst in haar geschiedenis met de Gouden Bokaal van het Stedelijk Hoofdrekenconcours naar huis zal gaan!'

'Pats!' Bijts slaat met zijn lineaal op het tafeltje van Anne. De hele klas schrikt. 'En dat zal tijd worden ook!' roept hij. 'Ziezo, nú kunnen jullie gaan.'

De kinderen rennen de klas uit, behalve Lepel, die treuzelt en langzaam zijn tas inpakt.

Zou meester Bijts nog iets tegen hem zeggen? Maar meester Bijts veegt met driftige bewegingen het bord schoon en ziet Lepel niet staan.

In zijn eentje loopt Lepel naar buiten. Op het schoolplein staan vaders en moeders die hun kinderen opwachten. Het is een vrolijke boel. Stonden mijn vader en moeder hier ook maar, denkt hij verdrietig.

Een paar kinderen uit zijn klas rennen op hem af en springen om hem heen.

'Hork, hork, hork,' joelen ze. 'Soep eet je met een...?'

Daar gaan ze weer, denkt Lepel en hij wil weglopen.

Op hetzelfde moment komt een hoogblonde vrouw in een knalrode lakjas de hoek om.

'Lé-pel!' gilt ze over het schoolplein. Het is zijn oma Koppenol.

De kinderen om Lepel heen barsten in lachen uit. 'Ha ha,' roepen ze. 'Lépel, wie heet er nou zo!'

Koppenol loopt gehaast op Lepel af. Ze heeft een grote plastic zak in haar hand. 'Kom mee,' zegt ze grinnikend. 'We gaan winkelen.' En ze trekt hem mee.

'Hork, hork,' klinkt het nog op het schoolplein als hij met zijn oma de hoek omslaat.

3

Koppenols hakken tikken en haar kettingen rinkelen. Ze loopt naar de BroMo, de grootste winkel van de stad. Je kunt er van alles kopen. Lepel wil niet mee, maar Koppenol stapt stevig door.

Als ze bij de winkel zijn aangekomen, kijkt ze even in de etalageruit of haar haar goed zit. Dan stapt ze breed lachend de winkel binnen. Lepel treuzelt.

'Wat nou weer?!' roept Koppenol en ze trekt Lepel naar binnen. 'Jij gaat vandaag eens extra je best doen!'

Ze lopen naar de kledingafdeling. Overal staan kasten en rekken met kleren. Koppenol graait in een rek en haalt er alle kleren met knopen tussenuit. Groot of klein, de maat kan haar niet schelen. Ze geeft de kleren aan Lepel, die binnen de kortste keer zowat bezwijkt onder de stapel jurken, jassen en broeken, die hij moet vasthouden.

Hij is blij als Koppenol een paskamer induikt en de kleren overneemt. 'Wat sta je daar nou?' sist ze hem toe. 'Zijn de rekken leeg? Nee? Nou dan, aan het werk, jij!'

Koppenol doet alsof ze gaat passen. Ze trekt het gordijntje met een ruk dicht. Maar passen doet ze niet, weet Lepel. Wat ze wel doet, is met een mes razendsnel alle knopen van de kleren afsnijden. Rits, rits, rits, daar gaan de knopen. Hop, in de plastic zak.

Ongelukkig loopt hij de winkel door. Hij draalt wat bij de kassa. Een mevrouw en haar dochtertje rekenen juist af bij een verkoper, die een naambordje draagt met Evert erop.

Hij tikt de bedragen in op de kassa. Lepel leest ze zacht mee en rekent snel uit. 'Achtennegentig vijfenzeventig,' zegt hij hardop, net voordat het eindbedrag op het kassascherm verschijnt.

'Ga ergens anders spelen, joh,' snauwt Evert. Tegen de mevrouw zegt hij allervriendelijkst: 'Dat is dan achtennegentig vijfenzeventig alstublieft, mevrouw. En wil de kleine meid misschien een ballon?' Hij duikt onder de toonbank en haalt een rode, zwevende ballon tevoorschijn, die hij aan het meisje geeft.

'Wat zeg je dan?' vraagt haar moeder.

Lepel kan zijn ogen niet van de ballon afhouden. Hij is dol op ballonnen. Ze doen hem denken aan de ballon van zijn vader en moeder.

Het meisje laat per ongeluk het touwtje los. De ballon zweeft meteen naar boven. Lepel ziet het en met een grote sprong klimt hij op de toonbank. Voor het verbaasde gezicht van Evert grijpt hij het touwtje. Hebbes.

Hij zou de ballon dolgraag willen houden. Maar de mevrouw lacht hem vriendelijk toe: 'Dat is lief van je, dank je wel!' Ze neemt het touwtje van hem over en geeft de ballon terug aan haar dochtertje. Lepel krijgt een aai over zijn bol. Net zoals zijn moeder hem vroeger aaide.

'Nou dag, hoor,' zegt de mevrouw dan vriendelijk en ze loopt hand in hand met haar dochtertje weg.

'Mag ik... misschien ook een ballon?' vraagt Lepel verlegen aan Evert.

'Ja hoor, als je een jurk koopt uit de kindercollectie,' zegt Evert bits. Teleurgesteld druipt Lepel af.

'Lé-pel!' klinkt het door de winkel. Oma Koppenol! Hij was haar helemaal vergeten. Hij pakt zomaar een broek uit een rek, rent terug naar het pashokje en duikt onder het gordijntje door.

De vloer is bezaaid met kleren en hangers en oma Koppenol staat daar in haar ondergoed middenin. De tas met knopen is al aardig vol. Ze kijkt kritisch naar de broek die Lepel haar aangeeft.

'Eén knoop! Is dat alles? Moeten we daarvan leven?'

Ze propt alle kleren zonder knopen in Lepels armen, met de hangertjes erbij. 'Hier! Terughangen en nieuwe halen! En schiet een beetje op!' En ze duwt hem het pashok uit.

Zo netjes mogelijk hangt Lepel de kleren terug in de rekken. Hij is bang om betrapt te worden en hoopt maar dat niemand ziet dat er niet één knoop meer zit aan al die jassen, jurken en broeken.

Net als hij de laatste broek heeft teruggehangen, staat er iemand achter hem. Lepel schrikt.

Het is een van de verkopers. Lepel heeft hem al vaker in de winkel gezien. Hij ziet op het naambordje dat hij Max heet. Max is groot en heeft een vriendelijk gezicht.

'Ik zag je daarstraks bij de kassa,' zegt hij en hij buigt zich voorover naar Lepel. 'Wat kan jij goed rekenen zeg! Hier, goed vasthouden.' En voordat Lepel het beseft, heeft Max hem een rode ballon gegeven. Hij kan zijn ogen niet geloven. 'Bedankt!' stottert hij, maar Max is alweer weg.

'Lépel! Lé-pel!!' klinkt het weer. Een paar klanten kijken geërgerd op wie er zo idioot schreeuwt. En wat is dat voor een rare naam?

Lepel graait snel weer wat kleren uit de rekken en brengt ze naar zijn oma in het pashok.

'Hoe kom jij aan die onzin?' vraagt Koppenol als ze de ballon in zijn hand ziet.

Hij loopt gauw de winkel in, hij wil niet dat zij zijn ballon afpakt. Maar Koppenol komt hem achterna, in haar ondergoed. Daar kijken de klanten van op.

De rode ballon zweeft boven de rekken uit. Lepel heeft niet in de gaten dat Koppenol zo precies kan zien waar hij is. Ze sluipt de winkel door, achter hem aan.

Opeens staat Max voor haar. 'Mevrouw,' zegt hij streng. 'Ik moet u verzoeken onmiddellijk iets aan te trekken.'

'Opzij!' roept Koppenol, maar Max blijft staan waar hij staat. Ze moet wel afdruipen. Met een zuur gezicht loopt ze terug naar het pashokje.

Lepel heeft zich verstopt achter een rek en ziet haar gaan. Hij slaakt een zucht van verlichting. Hij schiet achter in de winkel door een klapdeur. *Verboden voor onbevoegden* staat er in zwarte letters op, maar Lepel ziet het niet.

'Ding-dong...' klinkt het in de winkel. Een stem zegt: 'Dames en heren, wij maken u erop attent dat de winkel over vijf minuten gaat sluiten.'

13

4

Lepel staat tussen de dozen en rekken met ingepakte kleding. Hij is in het magazijn van de BroMo terechtgekomen. Snel verstopt hij zich achter een stapel dozen. Maar hij ziet niet dat zijn rode ballon boven de dozen uitsteekt. En hij heeft ook niet in de gaten, dat hij niet alleen is. Want in de hoek van het magazijn staat een vrouw in een paars mantelpakje, bij een grote stapel nieuwe kleren. Ze heeft lang, donker haar. Bewonderend gaat haar hand over de stof van de stoere tropenpakken.

Opeens hoort hij de klapdeuren opengaan. Een stem zegt: 'Het is weer raak, juffrouw Broer.'

Voorzichtig tuurt Lepel over de dozen. Het is Max, die een beetje onzeker tegenover de vrouw staat, met een bloesje en een jurkje in zijn hand.

'Knopen?' reageert juffrouw Broer.

'Ja,' knikt Max en hij laat haar de kleren zien.

Broer zucht. 'Geef maar hier. Dit kan echt niet langer. Anders nog iets, Max?' vraagt ze, als Max blijft staan.

Die schudt verlegen zijn hoofd. Hij kijkt even naar de stapel dozen waar Lepel achter zit. 'Nee,' zegt hij.

Zodra Broer is weggelopen, duikt Max op de grond achter de dozen. Lepel schrikt zich rot. Maar Max trekt alleen de ballon naar beneden.

'Zo zien ze je niet, Lepel,' zegt hij. 'Het is hier verboden voor klanten.'

Lepel snapt dat hij voor Max niet bang hoeft te zijn.

'Hoe weet je dat ik Lepel heet?' vraagt hij verbaasd.

'Tja,' lacht Max, 'wie weet dat niet?'

Hoog boven alles uit klinkt in de winkel de schrille stem van Koppenol. 'Lepel! Lé-hépel!!'

Lepel duikt in elkaar.

'Geinige naam, Lepel. Hoor je niet vaak,' zegt Max. 'Wel natuurlijk soeplepel of schoenlepel.'

'Sommige kinderen heten Roos of Mees en ik heet Lepel. Mijn oma zegt dat het een goede Hollandse naam is,' zegt Lepel en hij laat zijn armbandje zien waar op vijf kralen zijn naam staat gespeld: L-E-P-E-L.

Ondertussen zijn de winkelmeisjes druk pratend het magazijn binnengekomen. 'Moet je nou toch weer eens kijken wat ik in de rekken heb gevonden,' zeggen ze tegen elkaar. 'Allemaal vesten en jurken en broeken zonder knopen.' Verontwaardigd lopen ze naar het kantoortje in de hoek van het magazijn.

'Ik moet weer verder,' zegt Max tegen Lepel. 'We hebben wat problemen.'

Hij loopt naar het kantoortje.

Lepel kijkt hem na. Max is aardig.

In het kantoortje van Broer praat iedereen tegelijk.

'Zo raar,' zegt een winkelmeisje, 'kijk, d'r zit geen knoop meer aan dit jasje.' En een ander zegt verontwaardigd: 'Het is een ziekte! Wie jat er nou knopen?'

Broer staat achter haar bureau. Aan de muur hangt een grote poster van een jeep in een oerwoud. *De Grote Tiger Trophy*, staat er in grote letters op, *voor wie durft!*

Ze zegt: 'Dit is nou al de vijfde keer dat dit gebeurt. Dat is geen toeval meer, het is opzettelijke vernieling. Ik ben het zat, ik ga er werk van maken.'

'Als ik kan helpen…?' vraagt Max verlegen. Hij hoopt dat ze ja zegt. Maar Broer zegt: 'Iedereen kan helpen. Door nóg beter op te letten. Dus doe je best allemaal!'

Druk pratend stromen de winkelmeisjes het kantoortje uit. Ze gaan naar huis.

Max blijft als laatste achter. Dromerig staart hij naar Broer.

'Is er nog wat, Max?' vraagt ze als ze hem ziet staan.

Maar hij schudt bedeesd nee en gaat gauw weg.

Lepel heeft achter een grote stellingkast gewacht tot de kust veilig is. Als iedereen via de achterdeur het magazijn uit is gegaan, rent hij met zijn ballon door de klapdeur terug de winkel in.

Geen mens te zien.

Hij loopt naar de uitgang en duwt tegen de glazen deur. Dicht! Hij probeert een andere deur. Ook dicht! Hij krijgt het er warm van. Wat nu?

Buiten ziet hij oma Koppenol voor de winkel lopen. Haar gezicht is rood van nijd. 'Lepel!' tiert ze. 'Kom hier! Nu! Onmiddellijk!! Lépel!'

Lepel deinst achteruit.

Koppenol beent langs de etalages naar de andere kant van de winkel. Door de klapdeur hoort Lepel haar schoppen tegen de deur van de personeelsuitgang.

'Doe open!' gilt ze. 'Opendoen!'

Lepel is bang. Om zich moed in te spreken zegt hij zachtjes de tafel van negentien op. '…15 x 19 = 285, 16 x 19 = 304, 17 x…'

Dan gaat opeens overal het licht uit en klinkt er een oor-
verdovend geratel door de winkel. De rolluiken zakken als
tralies voor de ramen en etalages.

Lepel zit opgesloten.

5

Midden in de donkere winkel kijkt Lepel bang om zich heen. Is daar iemand? Nee, het is maar een etalagepop. En wat hoort hij toch? Is het de wind? Tranen prikken achter zijn ogen. Hij doet erg zijn best niet te huilen.

Net als hij de tafel van zeventien wil opzeggen, wordt er opeens van boven tegen zijn ballon aan geschopt.

Geschrokken kijkt Lepel omhoog. Tot zijn verbazing ziet hij een meisje zitten op een bord met *Nu Nog Voordeliger*! Ze trapt nog een keer tegen zijn ballon.

'Afblijven!' roept Lepel fel. 'Zo gaat hij kapot!' Hij trekt de ballon gauw naar beneden.

Het meisje doet hem pesterig na: 'Oh, gaat je ballonnetje kapot...?' Ze lijkt een paar jaar ouder dan hij.

Rotmeid, denkt Lepel en hij loopt boos weg.

In de verte hoort hij oma Koppenol nog steeds schreeuwen: 'Lepel! Kom ónmíddellijk! Nú! Lé-pél!!!'

'Lepel!' zegt het meisje spottend.

Lepel kijkt voorzichtig om een hoekje van de etalage naar buiten. Misschien kan het meisje hem helpen naar buiten te komen, denkt hij. 'Laat me eruit!' zegt hij. 'Ik moet eerder thuis zijn dan zij.'

Maar het meisje antwoordt niet. Ze spitst haar oren, want ze hoort iets. Klikkende hakken. Er komt iemand aan en de klapdeuren zwaaien open. Het is juffrouw Broer.

Meteen grijpt het meisje Lepel bij zijn arm.

'Blijf af!' roept Lepel, bang dat ze zijn ballon wil afpikken.

'Ik wil je ballon helemaal niet!' sist het meisje. Met een zwaai trekt ze Lepel omhoog, zodat hij naast haar op het bord belandt.

'Ssst, trek je benen in en hou je kop! Dat is Broer, de baas van de winkel.'

Muisstil zit Lepel naast het meisje.

Onder hen loopt Broer. Ze zet de roltrappen stil en trekt de mouw van een etalagepop recht. Ze kijkt om zich heen of ze iemand ziet. Dan loopt ze snel naar een rek met tropenpakken. Ze past een jasje en bekijkt zichzelf tevreden in de spiegel. Door de klapdeuren loopt ze weg, met het jasje nog aan.

'Ik moet naar huis!' Lepel schrikt op. Hij worstelt zich los van het meisje en springt naar beneden, zijn ballon stevig in zijn hand. Hij moet achter juffrouw Broer aan. Zij kan hem vast helpen. Hij opent zijn mond om haar te roepen.

Maar het meisje slaat een trui over zijn gezicht en smoort zijn schreeuw. Stevig houdt ze hem vast en trekt hem onder een rek.

'Hier blijven en kop houden!' zegt ze.

Lepel probeert zich los te rukken. 'Laat me gaan!' zegt hij nijdig.

Door het vechten knapt met een knal de ballon. Lepel is zo boos, dat hij in het wilde weg schopt en trapt. Maar het meisje is sterker dan hij. Ze neemt hem in een houdgreep totdat hij bijna stikt. Pas als ze de achterdeur in het magazijn horen dichtslaan en een auto hard horen wegrijden, laat ze hem los.

'Broer mag niet weten dat ik hier woon,' zegt ze dan. 'De enige die het weet is Max, de verkoper. Hij vindt het goed, want hij is hartstikke aardig.'

Lepel staat met de lekke ballon in zijn handen. Hij kijkt het meisje verbaasd aan. 'Wóón je hier? Waar zijn je vader en moeder?'

'Ik heb geen ouders.'

'Tuurlijk wel, iedereen heeft ouders.'

'Nou, ik niet. En daarom woon ik hier in de winkel. Ik slaap overdag en 's nachts als er niemand is, kan ik lekker mijn gang gaan,' zegt het meisje.

Lepel kijkt haar stomverbaasd aan. Hij snapt er niets van. In een winkel wonen? En hoezo, geen ouders hebben?

Buiten hoort hij Koppenol nog steeds tieren. Voorzichtig kijkt hij van achter een etalagepop door het raam.

'Ik moet echt weg,' zegt hij.

'Waarom?' vraagt het meisje.

'Ik heb het druk. Met dingen.'

Koppenol loopt naar de etalage en met haar neus plat op het glas kijkt ze de donkere winkel in. 'Waar ben je?!' schreeuwt ze woedend.

Lepel duikt weg, maar het is te laat. Koppenol heeft hem gezien. Nu gaat ze helemaal door het lint.

Als ik nu niet ga, dan zwaait er wat als ik thuiskom, denkt Lepel.

'Ik moet naar huis!' zegt hij weer.

'Morgenochtend om negen uur. Dan kun je eruit,' zegt het meisje pesterig.

'Nee, nu.' Angstig kijkt Lepel naar buiten.

'Laat haar toch,' zegt het meisje. 'Ze houdt vanzelf op. En trouwens, het komt juist goed uit dat je er bent, want eh... ik ben jarig. Ja, ik ben jarig en jij mag op mijn feestje komen.'

Lepel kijkt verbaasd op. Echt waar? Hij? Op een feestje?

20

Hij wordt nooit uitgenodigd.

Hij kijkt nog eens naar buiten en ziet dat Koppenol zich eindelijk omdraait en wegloopt.

Hij slaakt een zucht van verlichting.

Het meisje is naar de koffiehoek in het midden van de winkel gelopen.

'Wat wil je?' zegt ze. 'Appel- of marsepeintaart?'

'Geen appel,' zegt Lepel. 'Ik hou niet van appels.'

Het meisje pakt een groot stuk taart uit de koeling, terwijl Lepel aan de bar gaat zitten.

'Hier,' zegt ze en ze neemt zelf ook een stuk.

'Nou gefeliciteerd, eh... hoe heet je eigenlijk?' vraagt Lepel.

'Pleun,' zegt het meisje en ze zet een gezellig muziekje op.

Lepel eet zijn taart met grote happen. Mmm, lekker, zoiets krijgt hij thuis niet.

'Leuk dat je gekomen bent,' zegt Pleun. 'Wat wil je drinken? Iets fris?' Ze schenkt twee glazen in.

Lepel vindt haar aardig. Hij wil haar iets geven voor haar verjaardag. Maar wat? Hij zoekt in zijn zakken en vindt een knoop, die hij speciaal heeft bewaard omdat hij hem zo mooi vond.

'Alsjeblieft.' Hij geeft haar de knoop. 'Dat is voor jou, voor je verjaardag.'

Pleun houdt de knoop in haar hand en kijkt ernaar. Hij heeft de vorm van een bloem.

'Vind je hem mooi?' vraagt Lepel. 'En je hebt hem nog niet? Anders mag je hem ruilen.'

'Nee,' zegt ze zacht. 'Nee, ik hou hem. Ik vind hem prachtig. Wat een mooi cadeau.'

Verlegen zitten ze naast elkaar.

'Jeetje,' zegt Pleun. 'Ik heb nog nooit een cadeautje ge-kregen.'

6

Het is midden in de nacht. Lepel en Pleun apenkooien door de winkel. Ze mogen de grond niet aanraken. Pleun kan het heel goed. Lepel probeert haar te volgen. Ze lachen en gillen en hebben dolle pret. Ze verkleden zich met kleren uit de winkel. Pleun als zeerover en Lepel als badgast. Ze spelen drum op de pannen op de afdeling keukenbenodigdheden. En Pleun verslaat Lepel in een zwaardgevecht met de paraplu's.

Als ze eindelijk moe worden, kruipen ze in een grote bak met coltruien.

'Wat doen jullie eigenlijk met die knopen?' vraagt Pleun opeens.

Lepel schrikt. Hoe weet ze dat? Hij is altijd zo voorzichtig.

'Knopen?' zegt hij alsof zijn neus bloedt.

Maar daar trapt Pleun niet in. 'Ik woon hier. Ik zie alles. Ik weet bijvoorbeeld dat Max verliefd is op Broer. Dat zie ik gewoon. En ik zie jou zo vaak met die gekke moeder van je.'

'Dat is mijn moeder niet!' zegt Lepel meteen. 'Dat is mijn oma. Mijn moeder is niet gek.'

'Hoe ziet je moeder eruit? Ken ik je moeder ook?' vraagt Pleun.

'Nou eh...' hij aarzelt. 'Leuk. Enne... lief. En... blond, denk ik. Met krullen. Of met een paardenstaart of zo.' Hij kijkt dromerig voor zich uit.

'Je weet toch zeker wel hoe je móéder eruitziet? vraagt Pleun verbaasd.

'Niet precies. Ze is op wereldreis met mijn vader. In een luchtballon.'

'Hoelang zijn ze al weg dan?'

'Lang. Zo lang dat ik eigenlijk niet meer weet hoe ze eruitzien,' zegt Lepel.

En hij zucht eens diep.

Ze gaan naar het magazijn van de BroMo. Op de rekken staan de prijzen van de bloesjes en jurken. Lepel telt de prijzen op, deelt, trekt af en vermenigvuldigt. Dan ziet hij opeens dat boven in het magazijn een raam op een kier staat. Ik kan eruit! denkt hij blij. Hij klimt voorzichtig in een hoge stellingkast.

'Lepel!' roept Pleun verontwaardigd. 'Wat ga je doen? Waar ga je heen? '

'Naar buiten,' zegt Lepel.

'Nee! Ik ben jarig! Het feestje is nog helemaal niet afgelopen. Het is met slapen. Je kunt niet zomaar weggaan!'

'Je hebt gelogen, Pleun,' zegt Lepel. 'Dat raam kan open, ik ga naar huis.'

'Naar huis?! Nee, hè?! Je bent niet lekker! Je gaat toch niet terug naar die knopenheks?' Ze kijkt hem verbijsterd aan.

Maar Lepel klimt verder.

Dan zegt ze kwaad: 'Je hoeft nooit meer op mijn verjaardag te komen. Nooit meer! Donder maar op naar je huis en je knopen!'

Lepel is inmiddels tot bij het raam gekropen. Hij krijgt het zonder moeite open. Heel even twijfelt hij of hij wel naar buiten zal gaan, maar dan denkt hij aan zijn oma en zegt: 'Bedankt voor het feestje en nog een fijne verjaardag.'

'Doe de groeten aan die oma van je!' schreeuwt Pleun woedend en ze rent het magazijn uit naar de winkel.

Lepel zit in het kozijn. Hij kijkt naar buiten en denkt na. Zal hij gaan of zal hij blijven? Hij denkt nog eens aan zijn oma. Aan al het werk dat er voor hem ligt. En dan weet hij het: hij blijft.

Hij klimt terug naar beneden en loopt aarzelend de klapdeuren door, de winkel in.

'Pleun?'

Niets. Het is doodstil in de winkel.

'Pleun?!'

Voorzichtig loopt hij langs de rekken en schappen. Waar is ze nou?

Als hij langs de bak met truien loopt, duikt ze opeens op. Ze grijpt hem van achteren vast. Hij schrikt en pakt haar bij de haren, om terug te vechten. Maar opeens voelt hij zich vreselijk moe.

'Ik wou alleen maar even zeggen, dat ik blijf...' zegt hij.

Pleun laat hem meteen los en kijkt hem blij aan.

'...tot mijn vader en moeder terug zijn.'

Hij lacht verlegen.

Hoog achter in een kast met zachte truien heeft Pleun een slaaphol ingericht. Ze maakt een lekker plekje voor Lepel. Het is al bijna ochtend. Straks gaat de winkel weer open. Lepel gooit zijn schoenen uit en klimt in het hol.

'Nooit iets in de winkel laten liggen,' zegt Pleun streng, 'anders vinden ze ons!' Ze pakt Lepels schoenen en gooit ze in de kast. 'Overdag, als de winkel open is, moeten we heel stil zijn!'

Lepel voelt zich even heel klein en dom. Maar dan kruipt

hij lekker in het slaaphol. Ook Pleun gaat liggen.

'Hoe oud ben je eigenlijk geworden?' vraagt Lepel.

'Dat weet ik niet. Ik ben de tel kwijt,' zegt ze.

'Een jaartje optellen kan je toch wel?' vraagt Lepel ongelovig.

'Ik weet niet meer waar ik ben gebleven.'

'Dan vraag je dat toch aan je moeder? Die weet wel hoe oud je wordt.' Hij snapt er niets van en kijkt haar aan of ze gek is.

'Die weet het wel, maar die wil het niet zeggen,' zegt Pleun.

'En je vader dan?'

'Die wil het wel zeggen, maar die weet het niet. En nou ben ik dus jarig als ik er zin in heb.'

'Zie je nou wel dat je ouders hebt!' zegt Lepel.

Maar Pleun zegt niets meer. Ze draait zich om en gaat slapen.

7

De bel rinkelt. In de gang van de school lopen de juffen en meesters hun kinderen tegemoet. De les gaat beginnen.

Meester Bijts heeft het hoogste woord.

'Dit jaar gaan we winnen! Zeker weten, die bokaal is voor ons.'

'Dat zei je vorig jaar ook,' zegt een juffrouw.

'Maar dit jaar worden mijn inspanningen eindelijk beloond, let maar op. Het is een hele klus om die kinderen een beetje op niveau te krijgen, maar het is je vak, hè. Die bokaal is voor ons!'

Bijts loopt de klas binnen en begint met rekenles. Hij leest een som voor van het bord.

'...met 33 centimeter per uur. In hoeveel tijd is deze slak van A naar B? Finke?'

Geen antwoord.

'Aukje?'

Het blijft stil, maar Bijts maakt zich er niet druk om. Met zijn rug nog naar de klas gekeerd, zegt hij opgewekt: 'Toe maar, Lepel, zeg jij het dan maar weer.'

Maar ook dan blijft het stil.

Bijts draait zich om en kijkt de klas rond. Lepels plek is leeg.

'Waar is Lepel?!'

Moedeloos zit Bijts achter zijn lessenaar, zijn hoofd in zijn handen. Voor het bord staat Minoun. Hij probeert een som op te lossen. 'Eh...' Hij telt op zijn handen. 'Dat is vier opschrijven, drie onthouden... Achttien en vier is, eh... achttien en vier is... tweeëntwintig.'

Dit wordt helemaal niets, denkt Bijts. Hij ziet de Gouden Bokaal van het Stedelijk Hoofdrekenconcours al aan zijn neus voorbijgaan.

Hij moet iets doen. Nu. Met een ruk schuift hij zijn stoel naar achteren. Hij staat op en terwijl de kinderen hem verbaasd nakijken, rent hij de klas uit.

In de BroMo is ook een nieuwe dag begonnen. Een voor een zijn de winkelmeisjes binnengekomen. Ze hebben de vakken gevuld en zijn op hun plaats gaan staan. Max legt een paraplu terug en ruimt de truien, die rommelig in de kast liggen, weer netjes op. Hij gaat op zijn tenen staan om Pleun lekker toe te dekken. Dan ziet hij Lepel liggen.

Pleun wordt wakker. Ze ziet Max' verbaasde blik.

'Hij wou niet meer naar zijn oma,' zegt ze. 'Hij blijft hier tot zijn ouders terugkomen. Die maken een reis met een luchtballon.'

Max knikt begrijpend. Hij dekt Lepel toe. 'Slaap nog maar lekker door,' zegt hij zacht.

In de verte ziet hij juffrouw Broer naar de ingang van de winkel lopen. Hij volgt haar met zijn ogen.

Broer doet de deuren open en wordt bijna onder de voet gelopen door oma Koppenol, die als eerste binnenstormt. De hele nacht heeft ze liggen tandenknarsen tot ze de winkel weer in kon, op zoek naar Lepel. 'Ik zal hem vinden!' mompelt ze. Ze heeft een grote hondenriem in haar hand. Verbluft kijkt Broer haar na.

Koppenol loopt de winkel door. Ze kijkt onder kasten en rekken en duwt iedereen die haar in de weg staat aan de kant.

'Wáár is hij toch, dat joch?!' sist ze woedend.

Een voor een trekt ze de gordijnen van de paskamers met een ruk open. Maar het enige wat ze ziet zijn half uitgeklede dames, die van schrik gilletjes slaken. Ze loopt naar Evert, die achter de kassa staat, en vraagt of hij Lepel soms heeft gezien.

'Hoe ziet hij eruit, mevrouw?' vraagt Evert.

'...Blond haar en blauwe ogen. Ongeveer zó groot,' wijst Koppenol.

'Kan hij goed rekenen?'

Koppenol heeft geen idee. 'Daar vraag je me wat.'

Even later klinkt de intercom helder door de winkel: 'Dames en heren, er wordt een blond jongetje vermist. Het jongetje gaat gekleed in...'

Lepel, die nog lekker lag te slapen in het slaaphol in de kast, schiet er wakker van. Hij spitst zijn oren.

'Het jongetje luistert naar de naam Lepel. De eerlijke vinder wordt vriendelijk verzocht hem af te leveren bij de klantenservice op de eerste etage.'

Ze zijn er! Eindelijk! denkt Lepel en hij draait zich om naar Pleun. 'Mijn vader en moeder, ze komen me halen!' Hij duwt de truien opzij en wil naar buiten springen.

Maar Pleun vertrouwt het niet. Ze houdt hem tegen. Voorzichtig turen ze naar buiten.

'Dat zijn je ouders niet! Kijk dan!' Ze schrikken zich allebei een ongeluk, want Koppenol loopt juist onder hun slaaphol. Ze slaat met de hondenriem op de kast.

'Lé-pel!' schreeuwt ze. 'Híerrr!' Ze gooit een stapel truien van de eerste plank onder hen. Dan wil ze de tweede plank nemen.

Gelukkig grijpt Max in. Hij stapt op haar af en tikt resoluut op haar schouder. Koppenol draait zich om.

'Mevrouw, wilt u alstublieft voorzichtig zijn met de nieuwe collectie?'

Pleun en Lepel halen opgelucht adem. Max pakt een trui van de grond en gaat breed voor de kast staan. Zo kan ze hen niet zien. Ze druipt af, maar ze vertrouwt het duidelijk niet.

Zodra Max weg is, rent Koppenol terug. Ze klimt in de kast en woelt met driftige gebaren in de truien.

Maar de plank is leeg. Net op tijd zijn Pleun en Lepel uit de kast gesprongen. Sluipend lopen ze door de winkel, op weg naar de uitgang. Ze kunnen maar beter een poosje weggaan, denken ze.

In de verte staat Koppenol bij Broer. Ze horen Broer zeggen: 'We hebben hem niet gevonden, het spijt me voor u. Zal ik Gevonden Voorwerpen bellen?'

'Gevonden Voorwerpen?' vraagt Koppenol.

'Het politiebureau,' antwoordt Broer.

Koppenol schrikt: 'Nee! Geen politie! Die blijft hier buiten. Eh... Lepel houdt niet van politie.'

'Tja,' zegt Broer. 'Dan kan ik niets meer voor u doen.' Ze houdt de deur voor Koppenol open om haar uit te laten. Die stapt met tegenzin naar buiten.

Pleun en Lepel wachten tot ze weg is en willen dan een sprintje trekken naar de winkeldeur. Gelukkig ziet Pleun net op tijd dat Koppenol niet is weggegaan, maar voor de winkel op wacht staat.

Ze grijpt Lepel bij zijn kraag en trekt hem weg van de ingang, de etalage in. Snel grist ze een petje van een etalagepop en zet dat op Lepels hoofd.

'Kijk uit Lepel, daar komt ze aan!' sist ze.

Ze doen of ze etalagepoppen zijn. Ze staren naar een punt in de verte en staan doodstil met ingehouden adem.

Vlak voor hen tuurt Koppenol door de winkelruit naar binnen. Ziet ze iets? Lepel voelt zijn hart bonzen.

Het lijkt te lukken. Ze ziet hem niet!

Oefff!

Maar opeens kijkt Koppenol hem recht in zijn ogen.

'Lé-pel!!!' gilt ze en ze rent de winkel weer in.

Even later staat ze in de etalage. Nou heeft ze hem te pakken, die brutale aap!

'Mee naar huis jij!' Ze grijpt Lepels arm en trekt hem mee naar buiten.

Maar tot haar stomme verbazing heeft ze de plastic arm van een etalagepop vast. Verbijsterd kijkt ze om zich heen. Hè? Wat? Hoe kan dat? In de verte ziet ze nog net hoe Lepel door de klapdeuren het magazijn in verdwijnt.

'Ik zal je pakken! Ik zal je pakken!' gilt ze en ze rent hem achterna.

Maar daar is Max weer. Vlak voor de klapdeuren springt hij vóór haar.

'Het is hier verboden voor klanten!' zegt hij koeltjes.

Koppenol schrikt zo, dat ze de plastic tas met de knopen uit haar hand laat vallen. Met een harde klap valt de tas op de grond open. Honderden knopen springen alle kanten uit. Iedereen kijkt op.

'Aha, onze knopendief!' roept Max. Hij wil haar beetpakken, maar Koppenol rent weg, zo hard als ze kan op haar hoge hakken. Max wil achter haar aan, maar hij komt terecht in de knopenzee en glijdt languit over de vloer. Uitgeteld ligt hij tussen de kledingrekken. Tegen de tijd dat hij is opgekrabbeld, heeft Koppenol de uitgang al weten te bereiken.

Broer is op het rumoer afgekomen en loopt op hem af.

'Goed werk, Max,' zegt ze. 'Gefeliciteerd! Wedden dat we nu geen knoop meer kwijtraken? Die vrouw komt mijn zaak niet meer in.'

Verlegen lachend klopt Max het stof uit zijn pak. Dit is het moment... Maar wat moet hij? Hij kan niets bedenken.

Lepel en Pleun zijn uit het magazijn tevoorschijn gekomen en zien hem stuntelen.

Zeg nou wat! gebaart Pleun. Maar net als hij zijn mond open wil doen, draait Broer zich kordaat om.

'Nou eh, dan moesten we maar weer eens aan het werk.' Ze loopt weg, terwijl Max haar sip nakijkt.

Pleun en Lepel kruipen weer in de kast, want ze zijn nog lang niet uitgeslapen. Max helpt hen een handje en dekt hen toe.

'Ziezo,' zegt hij. 'Dat slaapt vast een stuk lekkerder, zonder oma.'

8

Oma Koppenol is naar huis teruggegaan. Daar is het een puinhoop van jewelste. In de keuken staat een torenhoge afwas, overal liggen bergen knopen en de afvalbak puilt uit.

Ik krijg hem nog wel!' denkt ze grimmig. Zeker weten dat hij daar nog is!

Ze staat net achter de toonbank een klant te helpen als de deur met een harde dreun wordt opgegooid. Bijts stormt naar binnen.

'Ik kom voor Lepel,' roept hij.

Koppenol kijkt geschrokken, maar ze herstelt zich snel.

'Lepel is ziek,' zegt ze en zonder blikken of blozen gaat ze verder met haar werk.

Maar Bijts laat zich niet van de wijs brengen.

'Des te beter,' zegt hij. 'Dan heeft hij alle tijd om te oefenen voor de Gouden Bokaal.'

Hij wil doorlopen naar achteren, maar daar steekt Koppenol een stokje voor. Snel gooit ze de deur van de woonkamer voor zijn neus dicht.

Maar Bijts heeft zijn voet tussen de deur gezet. Hij duwt hem open en staat in de kamer.

Geen Lepel!

Hij stormt de trap op. Koppenol rent hem achterna. 'Nee! Kom terug!'

Maar Bijts is al boven.

'Ssst!' sist Koppenol met een vinger voor haar mond.

'Lepel slaapt.'

Bijts gooit de deur van Koppenols slaapkamer open.

Leeg!

Dan de kamer van Lepel.

Ook leeg!

Hij keert zich om naar Koppenol en kijkt haar streng aan.

'Waar is hij?!'

Koppenol springt voor de badkamerdeur. 'Lepel zit in bad. Hygiëne is heel belangrijk voor een patiënt,' zegt ze snel.

Aha! denkt Bijts en hij wil de deur van de badkamer opengooien. Maar hij bedenkt zich dat hij dat niet kan maken. Met tegenzin houdt hij zich in en vraagt aan Koppenol: 'Wilt u hem dit rekenboek brengen? Het is dringend.'

Koppenol glimlacht. Ze pakt het boek aan en gaat de badkamer binnen. Ze sluit de deur zorgvuldig achter zich. Met een lief stemmetje hoort Bijts haar zeggen: 'Kijk nou eens, Lepeltje van me, wat oma voor je heeft? Een boekje vol rekensommetjes. Als je goed oefent, word je heel intelligent.'

Bijts vertrouwt het voor geen cent. Hij opent de deur en ziet Koppenol tegen een leeg bad praten.

'Lepel is niet ziek,' zegt hij en hij kijkt haar vorsend aan.

Koppenol schrikt, maar dan lacht ze fijntjes.

'Inderdaad. Lepel is niet ziek. Hij is weg.'

Nu schrikt Bijts, want hoe moet dat dan met de Gouden Bokaal?

'Dat kan niet,' zegt hij. 'Ik heb Lepel dringend nodig!'

'Anders ik wel,' zegt Koppenol pinnig. 'Ziet u niet wat een troep het in de winkel is? Wat is een knopenwinkel nou zonder kindervingertjes?'

'Hij moet terug!' zegt Bijts en zenuwachtig bijt hij op zijn nagels.

'Dan zijn we het roerend eens. Lepel moet terug!' zegt Koppenol. 'En daar gaat u voor zorgen. Ik zal u vertellen waar u hem kunt vinden.'

In zijn kleine groene auto scheurt Bijts naar de BroMo. Het is vlak voor sluitingstijd, maar als hij snel is, kan hij Lepel nog vinden. Slordig parkeert hij de auto voor de winkel en rent naar de deuren. Maar hij is te laat. De deuren zijn al dicht.

Met beide handen bonst hij op de ramen.

'Openmaken! Ik moet erin.'

Maar niemand besteedt enige aandacht aan hem.

Opeens ratelen de zware rolluiken achter hem naar beneden. Voordat Bijts het goed en wel beseft, kan hij niet meer voor- of achteruit. Hij zit gevangen tussen winkeldeur en rolluik, als een tosti.

Machteloos ziet hij achter het rolluik toe hoe een agent op zijn auto afloopt. Hij probeert zijn aandacht te trekken.

'Hier! Help! Die auto is van mij. Hier. Ik ben hier!'

Uiteindelijk hoort de agent hem en komt naar hem toe.

'U staat fout geparkeerd. Dat gaat u geld kosten.'

Hij schrijft een bon uit en geeft die door de tralies aan Bijts.

Die is te perplex om te reageren. Pas als de agent al is weggelopen, komt hij weer bij zinnen. Hij rukt aan het rolluik en roept: 'Ik moet eruit. Haal me d'r uit!'

Het personeel in de winkel gaat naar huis. De winkelmeisjes lopen door het magazijn naar buiten en groeten elkaar.

Max staat buiten bij zijn fiets. Hij drentelt wat heen en weer en houdt zijn ogen op de buitendeur van de BroMo gericht. Komt Broer er al aan?

Eindelijk komt ze naar buiten. Zijn hart maakt een sprongetje. Daar is ze!

Broer sluit de deur. 'Prettige avond, Max.' Ze lacht hem vriendelijk toe.

Max haalt diep adem. Nu dan. Nu! Hij wil iets zeggen. Iets leuks. Iets belangrijks. Hij wil haar zeggen dat...

'Eh...' hakkelt hij. Maar Broer is al in haar auto gesprongen. Vlot rijdt ze weg in de stoere jeep.

Verbluft kijkt Max haar na. Weer te laat. Maar nu ze weg is, durft hij wel.

'Een hele, prettige avond. En wat staat dat pakje u toch goed. En wat zou u ervan vinden als wij samen, u en ik, met zijn tweetjes een keer eh...'

Ach, laat maar zitten, denkt hij. Ik kan het toch niet. Het is mislukt. Weer mislukt.

Lepel en Pleun liggen nog in het slaaphol achter de truien. Lepel is net wakker. Hij heeft onrustig geslapen. Hij droomde van zijn vader en moeder in hun ballon en nu maakt hij zich zorgen. Hij stoot Pleun aan, die wakker schrikt.

'Pleun, als mijn ouders terug zijn, hoe weten ze dan waar ik ben?' zegt Lepel.

Dan krijgt hij een idee. Hij gluurt de winkel in of de kust veilig is. Niemand te zien. Hij springt uit de kast. Pleun volgt hem nieuwsgierig en ook een beetje aarzelend.

Lepel loopt naar de verfafdeling en pakt een grote pot met knalgroene verf en een paar dikke kwasten. Via de personeelstrap klimmen ze naar het dak van de BroMo. Voorzichtig, want niemand mag hen zien. Gelukkig bereiken ze zonder problemen het grote, platte dak.

'Ik ga mijn naam verven,' legt Lepel uit. 'Als ze overvliegen, kunnen ze zien dat ik hier ben.'

Met grote passen meet hij uit hoe groot de letters moeten worden. Flink groot. Hij pakt een kwast en geeft Pleun aanwijzingen.

Maar die vindt het maar niets.

'Het is niet altijd leuk hoor, ouders,' zegt ze. 'Ze kunnen verschrikkelijk zijn. Wat dacht je van een moeder die niet wil zeggen wanneer je jarig bent?'

'Dat zou mijn moeder nooit doen,' zegt Lepel stellig en hij verft verder.

'Dat weet je niet.'

'Dat weet ik wél,' houdt Lepel vol.

'Niet! Je weet helemaal niets van haar. Je weet niet eens hoe ze eruitziet!'

Lepel stopt even met verven. Hij kijkt naar de lucht.

'Mijn moeder is een lieve moeder, die mee gaat zwemmen en op zaterdag pannenkoeken bakt. Zó'n moeder is het.'

Pleun is op de rand van het dak gaan zitten, een eindje bij Lepel vandaan. Haar voeten bungelen naar beneden. Terwijl Lepel verft, zwaait ze wat met haar benen.

Oh, nee! Daar vliegt een schoen door de lucht. Geschrokken kijkt Pleun hem na. De schoen valt naast Max, die nog beneden staat, met zijn fiets aan de hand.

Max raapt het schoentje op en kijkt verbaasd naar boven. Hij ziet Pleun op de dakrand zitten.

'Sorry!' roept Pleun vrolijk terwijl ze naar hem wuift.

Max lacht en klimt de brandtrap op met haar schoen.

'Hier, vangen!' roept hij.

Lepel is druk in de weer met kwasten en emmers verf. Op zijn voorhoofd zit een grote groene veeg. Er staat al een grote L. Af en toe neemt hij wat afstand om het resultaat te bekijken.

Max kijkt wat hij aan het doen is. Zonder iets te zeggen trekt hij zijn nette jasje uit en stroopt hij de mouwen van zijn overhemd op. Hij pakt een kwast en begint mee te verven.

Pleun zit verderop toe te kijken.

Later en later wordt het. En nog steeds verven Lepel en Max door. Tot diep in de nacht. Pas dan komt Lepel overeind. Hij kijkt tevreden naar het resultaat en zegt: 'Nu weten ze waar ik ben!'

Op het dak van de BroMo staat in reuzenletters:

'LEPEL IS HIER!!!'

9

Max brengt Lepel en Pleun naar bed. Lepel is zo moe als een hondje. Max pakt een pyjama uit het rek *Nu 30 % korting!* en helpt Lepel die aan te trekken.

'Je moeder zal wel vinden dat je groot geworden bent.'

Lepel vindt het heerlijk als Max zo tegen hem praat. Van plezier rekent hij zachtjes de korting op zijn pyjama uit.

'Jij ook een pyjama, Pleun?' roept Max.

'Nee,' zegt Pleun chagrijnig. 'Wie zegt dat ik naar bed ga? Dat maak ik zelf wel uit.'

En ze maakt een paar radslagen tussen de rekken met rokjes.

Lepel gaat lekker liggen.

Niemand heeft Bijts in de gaten. Die ligt een stuk ongemakkelijker, dubbelgevouwen tussen de winkeldeur en het rolluik. Met zijn gezicht tegen het rolluik snurkt hij zachtjes.

Op de hoek van de straat komt een straathond aanlopen. Als de hond Bijts ontdekt, snuffelt hij wat aan zijn broek en doet dan op zijn gemak een plas over zijn benen. Vloekend schiet Bijts wakker.

'Bah! Vieze rothond! Rot op!'

Hij wil de hond een flinke trap geven, maar dat lukt niet door het rolluik.

Eenmaal wakker geworden beseft Bijts weer waar hij is. Wanhopig kijkt hij om zich heen om te zien of er iemand is die hem kan redden. Maar nee, geen mens te zien. Wat een ellende, denkt Bijts. Hij krijgt medelijden met zichzelf.

Maar dan ziet hij opeens uit zijn ooghoek iets bewegen in de winkel. Wat is dat? Hij ziet schimmen van een grote man en een kind, achter in de winkel.

Gesnapt! denkt Bijts grinnikend.

Max heeft zelf ook een pyjama aangetrokken. Het heeft geen zin meer om naar huis te gaan, want over een paar uur gaat de winkel alweer open. Zijn nette pak heeft hij keurig aan een hangertje gehangen tussen de andere kleren.

'Wie zegt dat jij hier mag blijven slapen?' vraagt Pleun.

'Ik,' zegt Lepel. 'En ik woon hier ook.'

'Maar ik was hier eerst!' zegt Pleun.

Max trekt zich niets aan van het geruzie. Hij maakt ruimte op de plank onder Lepel en stapt in bed.

'Tot morgen, Pleun. Welterusten, Lepel.'

De volgende ochtend ratelen de rolluiken langzaam omhoog. Een nieuwe winkeldag begint. De BroMo gaat weer open.

Broer doet de ingangsdeur open en ziet daar Bijts onderuitgezakt liggen. De buurt verloedert, denkt ze en ze zegt streng: 'Ik moet u verzoeken weg te gaan!'

Kreunend staat Bijts op met grote wallen onder zijn ogen. Zijn haar staat alle kanten op en zijn jasje zit scheef. Hij wil de winkel in stappen.

Maar Broer verspert hem de weg.

'Hier wordt niet geslapen!' zegt ze resoluut.

Bijts doet alsof hij weggaat en loopt naar de hoek van de winkel. Hij wacht tot ze weg is, komt dan terug en loopt naar binnen.

In het slaaphol in de kast wordt Lepel wakker. Met slaap-oogjes kijkt hij de winkel in. Evert opent de kassa en de winkelmeisjes druppelen binnen. Onder hem ligt Max nog als een roos te slapen.

'Max!' roept hij zachtjes, 'Max, opstaan!'

Max schrikt wakker en stoot meteen zijn hoofd aan de plank boven hem. Hij realiseert zich dat hij zich heeft ver-slapen. Snel springt hij uit de kast.

Zonder dat iemand hem ziet, probeert hij bij zijn kleren te komen. Lepel ziet hem achter de rekken sluipen en moet erom lachen. Maar het lachen is snel over, als hij meester Bijts ziet!

Pleun is ook wakker geworden en ziet hem wit van schrik de winkel in staren.

'Is dat je vader?'

Lepel schudt alleen maar nee.

Ondertussen heeft Max zijn overhemd en jasje weten aan te trekken. Nu alleen zijn broek nog.

Maar opeens ziet hij Broer met Evert en de winkelmeisjes op zich aflopen. Hij wil wegduiken, maar Broer roept hem al toe: 'Jou moet ik hebben!'

Geschrokken verbergt hij zijn blote benen door achter het rek te blijven staan en probeert nog snel zijn stropdas te strikken.

'Van harte, Max!' zegt Broer. 'Je hebt een nieuwe topom-zet gedraaid. De derde op rij en dat is een record.'

Lachend schudt ze hem over het rek de hand. Ze wil hem naar zich toe trekken. 'Kussen, Max.'

Max houdt zijn adem in en laat zich onhandig kussen. Hij krijgt het er warm van. Zijn blote benen is hij helemaal vergeten.

'Nou,' zegt hij, 'dat was, eh... Bedankt! Maarre... ik moet weer aan de slag. Je bent topverkoper of je bent het niet.'

Helemaal in de wolken draait hij zich om en loopt weg, in zijn onderbroek.

Als zijn collega's in lachen uitbarsten, heeft hij eerst niets door. Vrolijk lacht hij mee. Maar opeens realiseert hij zich waarom ze lachen!

Geschrokken kijkt hij om naar Broer. Die lacht niet, maar staart hem ontzet aan.

'Ik verwacht je zo op mijn kantoor, Max,' zegt ze en driftig beent ze weg. Als ze langs de truienkast loopt, ziet ze hoe Bijts in de kast probeert te klimmen. Door de opschudding heeft niemand hem eerder opgemerkt. Ze trekt hem uit de kast en bijt hem toe: 'Nou moet u eindelijk eens luisteren! Hier-wordt-niet-geslapen! Wegwezen dus!'

Max heeft snel zijn broek en schoenen aangetrokken en loopt naar het kantoortje. Hij zou het liefst door de grond willen zakken. Broer staat achter haar bureau en foetert: 'Je kunt toch zo maar niet een pyjamabroek passen onder werktijd! Wat moeten de klanten daar wel niet van denken?'

Max mompelt iets onverstaanbaars.

Koel zegt Broer: 'Ik wil je vandaag niet meer zien, Max. Je hebt me diep teleurgesteld. Diep teleurgesteld.'

Doodongelukkig loopt Max weg en pakt zijn fiets. Had hij zich maar niet verslapen! Nu is ze kwaad op hem. Hoe kan hij haar nu ooit nog zeggen wat hij haar wil zeggen. Dat hij haar...

Maar zijn gedachten worden luid onderbroken door een hevig gesuis dat van boven hem komt.

Verbaasd kijkt hij omhoog. In de lucht zweeft een kleurige luchtballon. Max fietst verder – maar dan opeens schiet hem het verhaal over Lepels ouders te binnen. Lepels ouders, die in een ballon ergens over de wereld reizen... Misschien weten deze ballonvaarders wel waar ze zijn.

Hij remt abrupt. Met een ruk gooit hij zijn stuur om en fietst als een bezetene de ballon achterna. Weg zijn al zijn sombere gedachten. Hij ziet alleen nog maar de kleurige ballon vóór hem in de lucht.

Hij fietst en fietst. De stad uit, langs velden en wegen.

Tot de ballon eindelijk begint te dalen. Hij wordt groter en groter. Als de mand de grond bereikt, springt Max hijgend van zijn fiets. Hij grijpt de touwen van de ballon vast. Langzaam zakt het doek in elkaar, over hem heen. Met moeite weet hij zich te bevrijden.

In de mand staan twee mannen, die hem onthutst aankijken.

'Neemt u mij niet kwalijk,' zegt Max verlegen. 'Ik zoek informatie over twee ballonvaarders die al jaren in de lucht zijn.'

'Jaren?' zegt een van hen.

'Ze hebben een zoon met blond haar,' gaat Max verder.

De ballonvaarders klimmen de mand uit en denken diep na.

'Het jongetje kan nogal goed rekenen...'

'Pelle!' zeggen de ballonvaarders dan tegelijk. 'Wat wilt u precies weten?'

Bescheiden zegt Max: 'Als het kan, alles graag.'

10

Het is een puinhoop in de klas. Meester Bijts is er niet, ook al is de bel voor de eerste les allang gegaan. Joelend rennen de kinderen door het lokaal. Simon hangt in de gordijnen en Kirsten tekent Bijts na op het bord: een klein mannetje met een hele grote rekenmachine.

Opeens gaat de deur open en komt hij binnen. Ongeschoren en met gekreukte kleren gaat hij met een verwilderde blik achter zijn lessenaar zitten.

'Stilte!' roept hij, maar geen kind dat luistert. Bijts roept nog eens en nu harder.

'Stilte! Allemaal zitten!' Hij gooit de borstel naar de achterste rij. Maar het helpt niet. De kinderen gaan gewoon door en niemand let op hem.

De deur zwaait opnieuw open. Oma Koppenol staat in haar rode lakjas in de deuropening, met de hondenriem vervaarlijk zwiepend in haar hand.

'Zo!' zegt ze alleen maar. Het klinkt zo dreigend dat het meteen muisstil is in de klas. De kinderen vliegen naar hun plaats. Vol ontzag kijken ze naar Koppenol.

Bijts doet of hij haar niet ziet en of hij zelf de klas stil heeft weten te krijgen.

'Pak allemaal je rekenboek, paragraaf 8,' zegt hij.

Een zucht van tegenzin gaat door de klas.

Vorsend kijkt Koppenol rond, maar Lepel ziet ze niet.

'Ik kom Lepel halen. Waar zit hij? Waar heeft u hem verstopt?'

Bijts zwijgt. Speurend loopt Koppenol door het lokaal. Ze kijkt onder banken, opent kasten en duwt kinderen opzij. De kinderen grinniken. Maar geen Lepel.

Ze loopt naar Bijts en slaat met de hondenriem op zijn lessenaar. 'Denk maar niet dat u hem voor uzelf kunt houden,' sist ze. 'Wáár is Lepel?!'

'Ik heb hem niet. Ik heb hem echt niet.'

'U zou hem halen!'

'Ja, maar–'

Koppenol wordt kwaad: 'Nu met je eens heel goed luisteren, tuinkabouter. Ik kan niet zonder die jongen. Die jongen doet alles voor me. Het enige wat jij moet doen, is Lepel uit die winkel halen. Is dat te veel gevraagd?'

'Nee, maar–'

Ze ontploft. 'Ach, hou toch op met die slappe praatjes! Ik ga 'm zelf wel halen. Maar dan hou ik hem ook helemaal voor mij alleen.'

Tegen de klas zegt ze: 'Lepel komt niet meer!'

Ze stapt weg en gooit de deur met een harde klap achter zich dicht, de klas in verbijstering achterlatend.

Het rekenconcours, de bokaal, hoe moet dat nou!? denkt Bijts en hij rent haar achterna, de gang in.

'Ik móét hem hebben,' roept hij haar toe. 'Heel eventjes maar. Alleen voor de wedstrijd. Daarna is hij van u.'

Interesseert mij wat, denkt Koppenol en met grote passen stapt ze verder.

'Ik doe alles ,' smeekt Bijts.

'O ja?' zegt ze opeens geïnteresseerd. 'Alles?'

Ja, knikt Bijts kleintjes.

'Dat noem ik verstandig,' zegt Koppenol en ze duwt hem opzij.

Bijts gaat terug naar de klas.

'Ruim allemaal je rekenboek op,' roept hij. 'We gaan taal doen!'

Nadat Bijts de deur uit is gezet door juffrouw Broer, hebben Lepel en Pleun ongestoord verder geslapen. Toen de winkel sloot en het stil werd, zijn ze naar de afdeling feestartikelen gegaan en hebben daar gekeken wat ze nodig hadden. Daarna zijn ze het dak van de BroMo op geklommen en aan het werk gegaan. Ze hebben honderden kleurige ballonnen met zweeflucht opgepompt.

Het inmiddels avond geworden. Pleun heeft een grote bos ballonnen in haar hand. Lepel is bezig kaartjes te maken voor aan de ballonnen. Hij ligt languit op zijn buik te schrijven.

Papa en mama, kom terug.

Afz. je zoon Lepel.

PS: Gauw alsjeblieft.

Hij knoopt het kaartje vast aan een ballon en laat die los. Als ik er heel veel loslaat, moeten papa en mama er toch een tegenkomen, denkt hij. Hij kijkt de ballon na, die snel omhoog klimt.

'Lepel! Lepel!' klinkt het over het dak van de BroMo.

Lepel kijkt op. Even flitst het door zijn hoofd: Daar heb je ze! Mijn vader en moeder! Ze hebben natuurlijk de letters op het dak gezien en nu komen ze me halen...

Hij tuurt de lucht in, maar ziet niets. Teleurgesteld gaat hij weer verder met het schrijven van kaartjes.

Dan ziet hij Max, die op hem af loopt.

'Lepel,' zegt Max en hij komt gehurkt naast hem zitten. 'Lepel, ik kom nog even langs, want ik heb, eh... ik moet je wat...'

Hij pakt een kaartje. Als hij leest wat Lepel heeft geschreven, geeft hij hem een aai en zegt: 'Als ze dit lezen, weten ze niet hoe snel ze terug moeten komen.' Hij helpt hem het kaartje aan de ballon vast te maken.

Pleun staat ballonnen op te pompen. Max loopt naar haar toe.

'Dit heeft geen zin,' zegt hij somber, maar zo zacht dat Lepel het niet hoort.

'Hoezo niet?' vraagt Pleun.

Zachtjes zegt Max: 'Lepels ouders komen niet meer terug.' Hij haalt een krantenartikel uit zijn zak en leest Pleun voor:

'FAMILIEDRAMA: BALLON STORT NEER IN STORM.

Echtpaar uit ballon geslingerd en overleden. Van Pelle, de driejarige zoon van het omgekomen echtpaar, ontbreekt elk spoor. Het tuigje waarin hij zat is in de mand teruggevonden. Waarschijnlijk heeft iemand het jongetje meegenomen. Het signalement van Pelle luidt: lengte: één meter zeven, blond haar en blauwe ogen.'

'Daar zijn er zoveel van,' zegt Pleun en ze haalt haar schouders op.

Maar Max leest verder:

'Gezien zijn leeftijd beschikt het jongetje over een opvallende rekenvaardigheid.'

'Dat is Lepel...! Oh, nee!' Geschrokken kijkt Pleun naar Lepel, die wat verder op het dak, dromerig de ballonnen nakijkt.

Max knikt. 'Pelle. Lepel. Ik denk dat Lepel eigenlijk Pelle heet.'

Ze zwijgen.

Lepel staat op en komt op hen af rennen. Snel bergt Max het krantenstukje weg.

'Zeg, werken jullie wel een beetje door?' roept Lepel vrolijk.

Max en Pleun kijken elkaar even aan. Ze durven niets te zeggen. Pleun gaat snel verder met ballonnen oppompen en Max schrijft kaartjes. Of hun leven ervan afhangt.

Eindelijk zijn ze klaar. Lepel pakt het laatste kaartje en knoopt dat vast aan de laatste ballon.

'Denken jullie dat dit genoeg is?' vraagt hij, terwijl hij de ballon nakijkt.

De lucht is bezaaid met ballonnen die alle kanten op waaien.

Lepel is tevreden en blij. Hij kijkt Max en Pleun stralend aan. 'Dit is voor het eerst dat ik echte vrienden heb.'

Pleun kijkt strak naar de punten van haar schoenen. En Max kucht.

'Ik moet gaan,' zegt hij. 'Het is al laat. Ik wou vanavond maar thuis slapen.'

Terwijl hij naar de brandtrap loopt, zucht Lepel van geluk.

Boven hem worden de ballonnen steeds kleiner.

Op het dak hebben Lepel en Pleun een bed van truien gemaakt. Maar Lepel kan niet slapen.

'Pleun, ben je wakker?' fluistert hij in het donker.

Pleun slaapt al half. 'Mmmm,' mompelt ze.

'Ik ga naar huis, Pleun! Naar een echt huis met een hond en mens-erger-je-niet en een moeder die me onderstopt.'

Pleun wordt wakker. Ze griezelt. 'Moet je zelf weten, maar hier is het veel leuker.'

'Maar hier is geen moeder,' zegt Lepel.

'Des te beter. Niemand die zegt hoe laat je naar bed moet. En je krijgt geen straf als je 's nachts een plas doet.'

Daar begrijpt Lepel niets van. Straf voor een plas?

'Er zijn moeders die hun kinderen 's nachts opsluiten in spinnenschuurtjes. Een nacht per plas.'

Geschrokken kijkt Lepel naar Pleun, maar ze draait zich om. Ze wil er niet verder over praten. Ze wil slapen.

11

Die hele nacht slaapt Lepel onrustig. Hij schrikt steeds wakker en tuurt dan naar de lucht.

Pleun wordt wakker. Ze rekt zich uitgebreid uit en gaat op de letter H zitten. Ze heeft zin om iets leuks te gaan doen.

'Laten we gaan zwemmen,' stelt ze voor.

Maar Lepel schudt zijn hoofd.

'Iets anders dan? Je gaat toch niet je hele leven op je moeder zitten wachten!' barst Pleun geïrriteerd los.

'Niet mijn hele leven,' zegt Lepel. 'Tot ze er is.'

Opeens ziet hij dat Pleun op de H zit. Hij springt op en duwt haar eraf. Hoe kunnen ze het anders lezen?

Pleun verveelt zich dood. 'En als ze nou niet komen?' vraagt ze.

'Ze komen wel,' zegt Lepel.

'Nietes,' zegt Pleun.

'Welles,' zegt Lepel.

Lepel en Pleun wellessen en nietessen verder tot Pleun er opeens genoeg van heeft.

'Nietes! Ze komen niet, je ouders. Ze zijn dood.'

Verbijsterd kijkt Lepel haar aan. Wat zegt ze?

'Je ouders zijn dood,' zegt Pleun nog een keer.

Maar Lepel wil het niet horen. Hij duwt haar hard opzij en rent naar de brandtrap.

'Dat is niet waar! Ze komen terug! Heel snel al. Ze komen me halen. Het is niet waar! Je liegt!' gilt hij.

Pleun is hem achterna gerend. Ze probeert hem bij zijn arm te pakken. 'Ik lieg niet, Lepel. Je moeder is dood...'

'Hou op!'

'En je vader ook. Vier jaar geleden zijn ze met hun ballon naar beneden gestort. Je was er zelf bij.'

Lepel staat stil. 'Niet waar!' roept hij. 'Mijn oma zegt–'

'Het heeft in de krant gestaan. Ik heb het zelf gezien,' onderbreekt ze hem.

Ongelovig staart hij haar aan. Pleun vertelt hem van het ballonongeluk. Hoe zijn vader en moeder, samen met hun zoontje Pelle van drie, met hun ballon in een storm terechtkwamen. Hoe de stormwind de ballon greep, waardoor de mand kantelde en zijn vader en moeder naar beneden stortten. En dat van Pelle verder ieder spoor ontbrak...

'Alleen het tuigje waarin hij had gezeten, hing nog in de ballon toen die werd gevonden. Waarschijnlijk heeft iemand hem meegenomen,' zegt ze.

Lepel rent de brandtrap af. Hij voelt zich verward en verdrietig. Allerlei gedachten gaan door zijn hoofd. Hij vlucht het park in.

Diep, heel diep van binnen weet hij dat Pleuns verhaal waar is.

Want in een flits heeft hij zich de kleine Lepel herinnerd.

Hijzelf.

Alleen in de mand onder de ballon.

In de vliegende storm.

In de appelboom.

Max is die ochtend extra vroeg opgestaan om toch vooral op tijd op zijn werk te zijn. Hij stond buiten al te wachten toen juffrouw Broer de deur van het magazijn opende om het personeel binnen te laten. Max groette haar, maar tot zijn teleurstelling zei ze niets en wendde haar blik af.

In de winkel heeft hij erg zijn best gedaan en harder gewerkt dan ooit. Hij heeft de bikini's geprijsd en de truien opgevouwen. Hij heeft de nieuwe broeken op maat gehangen en de bak met T-shirts geordend.

Af en toe keek hij even hoopvol naar Broer in de verte, maar ze keek zijn kant niet op. Niet één keer.

Nu zit hij in zijn lunchpauze op een bankje in het park een boterhammetje te eten. Opeens merkt hij Lepel op, die even verderop op een bankje zit. Hij loopt op hem af en gaat naast hem zitten.

'Hé, Lepel,' groet Max, 'Waar is Pleun? Wil je een hapje?'

Lepel reageert niet. Hij voelt zich verdrietig en in de war. Pleuns verhaal maalt door zijn hoofd. Langzaam draait hij aan de kralen van zijn armbandje tot er geen L-E-P-E-L meer staat maar P-E-L-L-E. Hij draait er nog een keer aan. Het staat er echt: PELLE.

Dan zegt hij zacht: 'Ik heet geen Lepel. Ik heet Pelle... Mijn ouders komen niet meer terug. Ze zijn dood.'

Max slikt. 'Ik weet het... Ik had het je moeten zeggen, maar ik kon het niet.' Hij zucht diep. 'Ik weet wat het is, om naar iemand te verlangen. Ik droom iedere nacht van Broer. Dat ze me aankijkt en dan niet een gewone verkoper ziet, maar... mij. En dat haar hart dan smelt. En dat zij en ik... dat wij dan voor altijd...'

Hij stokt.

Lepel knikt begrijpend. 'In míjn dromen was mijn moeder er – de liefste moeder van de wereld.'

Max zucht en slaat een arm om hem heen.

Na een tijdje maakt Lepel zich los.

'Ik ga naar huis,' zegt hij.

'Welk huis?' vraagt Max verbaasd. 'Toch niet naar je oma?'

'Ja,' antwoordt Lepel. 'Ze is streng, maar ze is wel mijn oma.' Hij staat op en loopt weg.

Max kijkt hem na. In gedachten verzonken blijft hij zitten. Er is iets... Er klopt iets niet. Maar wat het is? Hij denkt diep na. Dan valt het muntje. Hij springt op en rent Lepel achterna. Die is al bijna de straat uit.

'Lepel! Lepel! Luister! Stop!'

Lepel draait zich om.

'Ze is geen familie!' hijgt Max. 'Als Koppenol je oma was, dan wist ze je naam. Dan heette je nu geen Lepel, maar Pelle. Ze heeft je waarschijnlijk gevonden toen de ballon in de appelboom bleef hangen. Gevonden en meegenomen. Jouw oma is jouw oma helemaal niet!'

Lepel kijkt hem aan, maar zegt niets.

'Nee, en ze heeft niets over je te zeggen, helemaal niets!' zegt Max opgetogen.

Maar tot zijn verbazing loopt Lepel gewoon verder.

Max gaat hem achterna. Hij pakt Lepel vast en vraagt zacht: 'Wat is er, Lepel?'

'Niets!' zegt Lepel nijdig en hij schudt zich los. 'Laat me los!'

Max begrijpt het niet: 'Maar het was een rotoma...'

'Nou en?' barst Lepel los. 'Eerst heb ik geen moeder meer en geen vader. En nu heb ik niet eens meer een rotoma... Ik heb helemaal niemand meer! Nou, bedankt hoor en donder nu maar op!' Hij rent weg.

Max voelt zich schuldig, maar hij laat Lepel gaan. Vol wroeging kijkt hij hem na.

Intussen is Bijts druk in de weer geweest in het huis van Koppenol. Onhandig heeft hij planken schots en scheef voor het raam getimmerd. Daarna heeft hij op elke deur een slot gezet. Het zweet stond op zijn voorhoofd. Bijts is geen echte klusser. Overal in het huis lag gereedschap. Hij struikelde er zelf over.

Toen hij eindelijk dacht klaar te zijn, kreeg hij van Koppenol weer een nieuw slot in handen geduwd.

'Deze nog!' snauwde ze.

'Het is zo wel genoeg voor een jongen van zeven,' zei Bijts.

'O nee,' zei Koppenol. 'Voor je het weet is hij weer weg. Straks is hij acht, negen, tien, twintig... Ik wil dit nóóit meer meemaken.' Ze rilde van afschuw.

Bijts plaatste het slot. Toen wilde hij gaan zitten om uit te puffen. Maar Koppenol kende geen genade en duwde hem de winkel in, achter een tafel met een enorme berg knopen.

'Denk je dat je klaar bent? Hier, de rode bij de rode knopen, de witte bij de witte en de blauwe bij de blauwe.' Verbluft zette Bijts zich aan het werk.

Koppenol verdween naar boven. Even later kwam ze terug met een grote hoed en een zonnebril op. Bijts had haar bijna niet herkend.

'Hier, zet op,' zei ze en ze gaf hem ook een zonnebril. Daarna pakte ze de hondenriem.

'Kom mee.' En ze liep de winkel uit.

Lepel is naar huis gelopen. Boos en verdrietig tegelijk. Als hij bij de knopenwinkel komt, ziet hij een bordje *We zijn gesloten* op de deur. Hij loopt achterom, om te proberen of de keukendeur open is. Ook dicht. Hij tikt tegen het raam en roept: 'Oma!'

Geen antwoord. Met zijn neus op het glas tuurt hij naar binnen. Op het aanrecht staat een giga afwas en overal ligt troep.

Dan ontdekt hij de tralies en sloten op de ramen en de deur. Het dringt langzaam tot hem door: die zijn voor hem bedoeld. Zijn oma wil hem opsluiten! Om hem als sloofje te gebruiken in de knopenwinkel en voor de afwas en de vuilnis en...

De woorden van Max echoën na in zijn hoofd: 'Ze is je oma niet. Ze heeft je gevonden en meegenomen.'

Lepel bedenkt zich. 'Je bent mijn oma niet! Je hebt helemaal niets over me te zeggen. Helemaal niets!' roept hij keihard naar het huis.

Hij draait zich opgelucht om en rent hard weg.

Naar de Bromo.

12

Eenmaal bij de winkel aangekomen, voelt hij zich alweer
een stuk vrolijker. Hij glipt het magazijn in, waar het personeel druk bezig is dozen uit te pakken. Lepel zorgt dat
niemand hem ziet.

Tot zijn verrassing ziet hij Pleun. Ze zit lusteloos op een
hoge doos.

'Hé, Pleun!' roept hij.

Pleun kijkt blij op, maar ook verbaasd. Want Max had
haar verteld dat Lepel was teruggegaan naar zijn oma.

Lepel vertelt over de knopenwinkel die veranderd is in
een gevangenis.

'Koppenol is mijn oma niet,' zegt hij en hij klimt naast
Pleun. Blij dat ze weer samen zijn.

Na een tijdje zegt hij: 'Pleun, ik ga een moeder zoeken.
Een leuke.'

'Maar moeders zijn...' wil Pleun tegenwerpen.

'Ja, dat weet ik nou wel,' zegt Lepel. 'Maar ik wil gewoon
een moeder.'

Broer is het magazijn binnengekomen. Lepel volgt haar
met zijn ogen.

'Naar beneden,' sist Pleun en ze trekt hem mee. Lepel
zegt niets. Hij blijft naar Broer staren. Opeens begint hij
weg te kruipen, het magazijn door.

'Hé, wacht,' roept Pleun zachtjes. 'Niet weer weglopen.
Wacht op mij!' Ze sluipt Lepel achterna, maar kijkt niet uit.
Daardoor stoot ze per ongeluk tegen een grote doos, die
met veel gerommel omvalt.

Broer hoort het en spitst haar oren. Ze hoort voetstappen en gaat achter het geluid aan, naar de achteruitgang van de winkel.

Maar als ze naar buiten kijkt, is er niets of niemand te zien. Alleen haar stoere jeep staat er. In het magazijn is het nu stil. Broer blijft nog even staan luisteren. Maar als ze niets meer hoort, trekt ze haar wenkbrauwen op en gaat weer naar binnen.

Koppenol en Bijts zijn in hun vermomming bij de BroMo aangekomen, op zoek naar Lepel. Speurend lopen ze door de winkel. Bijts klimt in de slaapkast en woelt tussen de truien. Koppenol kijkt onder de rekken. Als ze langs een etalagepop loopt, pikt ze nog snel even een paar knopen mee.

'Het is bijna sluitingstijd,' meldt de stem door de intercom. 'De winkel gaat zo dicht.'

Bijts wil al naar de uitgang lopen, maar Koppenol houdt hem tegen. Ze sleurt hem mee een pashokje in en trekt het gordijntje dicht. Bijts spartelt tegen, maar Koppenol is sterk en houdt hem stevig vast.

Broer komt uit het magazijn om af te sluiten. Ze zet de achtergrondmuziek af en stopt de roltrap. Ze loopt langs de pashokjes, maar heeft niets in de gaten.

'Ik wil naar huis,' zegt Bijts.

Koppenol kijkt hem minzaam aan.

'O, ik dacht dat jij Lepel wilde...? Nou dan,' zegt ze als Bijts gedwee ja knikt. Ze geeft hem een stoot in de ribben. 'Een beetje flink zijn.'

Ze wachten tot de rolluiken naar beneden zijn gezakt en Broer door de klapdeuren weer is verdwenen. Dan pas laat

Koppenol Bijts los. Ze gooit haar hoed en zonnebril af en trekt het gordijn open.

De jacht op Lepel is weer hervat.

Terwijl het winkelpersoneel door de achteruitgang naar huis is gegaan, verlaat Broer als laatste de winkel. Ze sluit de achterdeur af en loopt naar haar auto. Maar daar staat Max.

In zijn handen houdt hij een prachtige chocoladetaart in de vorm van een hart. Hij hinkt zenuwachtig van het ene been op het andere.

Blozend stamelt hij: 'Ik eh, ik... Hier,' zegt hij dan en hij duwt de taart onhandig in Broers handen.

Die kijkt onthutst van Max naar de taart en weer terug.

'Nou, eh... bedankt dan maar,' zegt ze aarzelend. Ze stapt gauw in haar auto. De taart gooit ze op de stoel naast zich neer. Wat moet ik nou met een taart? denkt ze.

Vol gas rijdt ze weg. In haar achteruitkijkspiegel kijkt ze nog even om. Die Max...

Broer is dol op auto's en rijden. Snel optrekken en kort door de bochten, zo rijdt ze het liefst. Als het stoplicht op oranje springt, trapt ze nog even lekker het gaspedaal in. Vlak voor rood is ze erdoorheen. Ze lacht tevreden.

Zo druk is ze met rijden, dat ze niet in de gaten heeft, dat ze verstekelingen heeft. Lepel en Pleun zijn stiekem in de achterbak van de jeep geklommen. Ze liggen onder een oude deken en houden zich muisstil.

Vlot rijdt Broer de stad uit op weg naar huis. Ze rijdt naar de pont. De kapitein van de boot is bezig het hek te sluiten, om te kunnen afvaren. Broer geeft extra gas en glipt net tussen de hekken door.

Zonder een spier te vertrekken, maakt een kapitein een sprongetje opzij. Hij heeft dit al vaker meegemaakt.

Terwijl de pont wegvaart, stapt Broer uit haar auto. Ze snuift de frisse avondlucht op en loopt een rondje om haar auto. Goedkeurend trapt ze even tegen de grote, zware banden. Ze ziet niet dat er iets beweegt in de achterbak.

Als de pont de overkant heeft bereikt, rijdt ze verder. Ze scheurt over wegen, die steeds smaller worden. Op een zandpad neemt ze opeens een scherpe bocht en dan staat de auto plotseling stil. Broer springt eruit.

Ze is thuis.

Lepel en Pleun liggen plat in de achterbak. Ze horen hoe Broer wegloopt. Voorzichtig kijken ze op of de kust veilig is. Ze zien haar naar een zilverkleurige caravan lopen en naar binnen gaan. Dan kruipen ze uit de auto.

Broers caravan staat op een erf met oude sloopauto's en jeeps. Overal liggen oude autobanden en uitlaten. Hier en daar zijn slootjes en heuveltjes en over het hele terrein lopen diepe bandensporen.

Voordat Lepel en Pleun van hun verbazing zijn bekomen, zwaait de deur van de caravan alweer open. Snel duiken ze weg achter de auto. Broer verschijnt in een tropenpak met hoge schoenen. Ze stapt in een kleinere jeep die ook op het erf staat en scheurt ermee weg.

'Nou, daar gaat ze,' zegt Pleun lachend. 'Veel geluk.' Ze loopt naar de caravan om een kijkje te nemen.

'Niet weggaan!' roept Lepel.

'Jíj wou een moeder, ik niet,' zegt Pleun en ze glipt de caravan binnen.

Lepel begrijpt dat hij er alleen voor staat. Broer crosst

rond over het terrein. Om zich moed in te spreken, vermenigvuldigt hij de cijfers van het nummerbord van de jeep en deelt ze door achttien. Dan haalt hij diep adem en loopt naar haar toe.

Broer rijdt plankgas recht op een sloot af, met een heuveltje ervoor. Lepel snapt wat ze wil. Ze probeert met de kleine jeep naar de andere kant te springen. Ze neemt een aanloop, maar het gaat mis. De jeep blijft in de sloot steken; ze krijgt de auto niet meer voor- of achteruit. Mopperend stapt ze uit. Lepel duikt achter een boom. Hij ziet dat ze naar een andere jeep op het terrein loopt.

Hij wil haar helpen en zoekt op het erf tot hij vindt wat hij nodig heeft. Hij pakt een brede plank en sleept die naar de slootkant. Hij legt hem zo neer, dat het een springschans wordt. Zo moet het lukken, denkt hij.

Als Broer in de tweede jeep op de sloot af rijdt, komt Lepel tevoorschijn. Hij springt voor de auto. 'Stop!' roept hij met zijn armen omhoog.

Broer staat boven op haar rem. Ze is zich rotgeschrokken. Waar komt dat kind opeens vandaan?

'Kun je niet uitkijken! Je had wel dood kunnen zijn...!'

Nu! denkt Lepel. Nu moet ik het haar vragen. Of ze mijn moeder wil zijn.

'Zou u...' Maar dan bedenkt hij zich, gooit het over een andere boeg en vraagt: 'Motormassa?'

Verbaasd geeft Broer antwoord: '360.'

'En hoeveel pk?'

'200.'

Hardop begint Lepel te rekenen. Broer wil kwaad uit de auto stappen, maar opeens staat Pleun daar.

'Dat doet hij wel vaker,' zegt ze geruststellend. 'Meestal klopt het.'

Lepel rekent verder: 'Aanloop: 148 meter. Snelheid oplopend van 0 tot 133 bij de waterlijn. Dan is de spronghoek 18 graden.'

Broer wordt nu toch nieuwsgierig. 'Spronghoek?' vraagt ze.

Lepel legt uit wat hij bedoelt en wat ze moet doen om de overkant van de sloot te halen. Ze luistert aandachtig. Dan verstevigen ze de springschans en zorgen ervoor dat de spronghoek goed is.

Broer gaat het opnieuw proberen. Ze rijdt de jeep naar het punt waar de aanloop begint. Als Lepel twee duimen omhoog steekt, trapt ze het gaspedaal diep in. De motor gromt en de auto stormt op de sloot af.

Lepel steekt zijn vingers in de lucht en schreeuwt: '73! 79! 113... Gás! Nú!'

Broer doet precies wat hij zegt. Ze raast de springschans op en komt met een grote sprong neer. Aan de andere kant van de sloot.

Het is gelukt!

Lepel en Pleun komen aanrennen. Broer springt uit de auto, gek van blijdschap:

'Yésss! Ik kan het! Ik kan het!' juicht ze.

Lepel en Pleun kijken haar stralend aan en Lepel glimt van trots. Ze dansen met haar mee.

'Nog een keer! Ga je mee?' vraagt Broer aan Lepel.

Die klimt meteen bij haar achter in de jeep.

'Wilt u...' begint hij weer, maar ook nu krijgt hij het niet over zijn lippen. Snel wijst hij naar Pleun. 'Zij hoort er ook bij.' Pleun rent naar de auto en springt achterin.

'Gas!' roept Lepel.

13

's Avonds zitten ze met zijn drieën om het kampvuur dat Broer heeft gemaakt. Het vuur knappert en Lepel staart in de vlammen. Hij heeft zijn buik vol met zelf geroosterde worstjes en marshmellows.

Broer vertelt over haar droom: de Tiger Trophy. Een rallywedstrijd, achtduizend kilometer dwars door Afrika. Oerwoud, steppen, woestijn, nergens asfalt. Leeuwen en krokodillen om je tent. 's Nachts wachtlopen en zorgen dat je vuurtje blijft branden. Vlotten maken om rivieren over te steken, in bomen klimmen om de weg te vinden.

Pleun hangt aan haar lippen. Maar Lepel is er niet helemaal bij. Hij moet Broer nog steeds vragen of zij misschien zijn moeder kan zijn. Hij probeert ertussen te komen.

'Wat ik me afvroeg...'

Broer merkt het niet, zozeer gaat ze op in haar verhaal. Ze praat verder.

'En dan is het natuurlijk ook een wedstrijd, dus doorrijden, accelereren, berekenen wat je kansen zijn.'

'Dat kan ik wel,' zegt Lepel. 'Dus als u...'

Maar ook nu gaat Broer gewoon door.

'Het is allemaal een kwestie van inzicht, kracht en teamwork... Er bestaat niets mooiers.' En dromerig kijkt ze in het vuur.

'Hoe vaak heeft u meegedaan?' vraagt Pleun. Lepel baalt ervan dat zij er wel ertussen komt.

Broer vertelt dat je alleen mee kan doen als je een team hebt.

'Er zijn geen vrouwen in deze sport. En de mannen rijden liever met elkaar.'

Ze port het vuur nog eens op. Dan zegt ze met een zucht: 'Elke nacht droom ik van oerwouden en woestijnen, maar ik ben er nog nooit geweest.'

Lepel durft niet meer verder te vragen.

Het is al donker als Broer de kinderen naar huis brengt. Ze zitten voor in de jeep lekker te snoepen van de chocoladetaart van Max.

Broer rijdt stevig door. In de verte ziet Lepel de lichtjes van de stad. Hij zucht. Het is knus zo in de auto. Kon dit maar langer duren.

'Jullie hebben een eind gelopen,' zegt Broer.

Lepel haalt diep adem. Zal hij nu? Hij durft niet.

Pleun ziet hem tobben. Ze schiet Lepel te hulp.

'Zou u... zou u niet een kind willen?' vraagt ze. Lepel kijkt Broer gespannen aan. Die begint te lachen.

'Ik een kind? Ik heb verstand van auto's, niet van kinderen.'

Dat vind ik wel een voordeel,' zegt Pleun. 'Dat u er geen verstand van heeft.'

'Wat moet ik in mijn eentje met een kind?' zegt Broer. 'Een auto kun je in de schuur laten staan, maar een kind – daar moet je voor zorgen.'

Lepel probeert zijn teleurstelling te verbergen. Ze rijden verder. Niemand zegt meer wat.

In de stad wijst Pleun de weg. Ze stoppen aan de achterkant van de winkel.

'We wonen daar,' zegt Pleun met een vaag gebaar naar achteren.

'Dat is ook toevallig,' zegt Broer. 'Ik werk hier.'

Lepel en Pleun stappen uit de auto. Broer heeft haar arm uit het raampje hangen. Ze zegt: 'Nou, ik vond het heel gezellig, Pleun en eh... Lepel. Lepel toch?'

Lepel knikt.

'Die naam hoor je vaak de laatste tijd,' zegt ze. 'Nou, wel thuis. En als jullie nog eens langskomen, dan kan je altijd meerijden.'

Ze rijdt weg. Lepel kijkt hoe ze de hoek om verdwijnt.

'Dank je wel, Pleun,' zegt hij dan. 'Dat je het vroeg.'

Pleun bromt een beetje verlegen: 'Als je dan toch een moeder moet, dan leek Broer me wel wat.'

Ze loopt weg en maakt een paar prachtige radslagen, midden op de stille straat.

Lepel kijkt of ze door een raam naar binnen kunnen, en ziet tot zijn schrik dat de hele winkel overhoop is gehaald. Kasten staan schots en scheef en overal liggen kleren op de grond.

Wat is hier gebeurd? denkt hij en hij drukt zijn neus op de ruit om beter te kunnen zien.

Opeens duikt vóór hem het hoofd van Koppenol op. Vlakbij, op nog geen halve meter afstand.

'Lé-pél!!!' schreeuwt ze als ze hem ziet.

Wit van schrik deinst Lepel naar achter. Zijn hart bonkt in zijn keel. Hij rent weg langs de ramen. Binnen in de winkel loopt Koppenol met hem op. Als ze niet verder kan, slaat ze brullend met de hondenriem tegen het glas.

Pleun is geschrokken gestopt met de radslagen en holt met Lepel mee. Weg! Ze moeten weg!

Hijgend staan ze een paar straten verderop stil. Wat nu?

Waarheen?

'Laten we naar Max gaan,' zegt Lepel.

'Goed idee,' vindt Pleun.

Even later staan ze bij het huis van Max. Pleun belt aan. Het duurt even voordat Max hen hoort en het raam openschuift. Verbaasd kijkt hij naar beneden, maar dan loopt hij snel naar beneden om open te doen.

Max heeft warme chocolademelk gemaakt. Lepel en Pleun zitten op zijn bed. Lepel zit met opgetrokken knieën en zegt niets. Ook zijn mok laat hij staan. Max kijkt hem vragend aan.

'Lepel wil een moeder, maar niemand wil hem hebben,' zegt Pleun. Lepel geeft haar een schop. Waarom moet ze dat nou zeggen?

Maar Max zegt verontwaardigd: 'Niemand wil hem hebben?! Wie zegt dat?'

Pleun haalt haar schouders op en Lepel legt zijn hoofd op zijn knieën.

'Daar geloof ik niets van,' zegt Max. 'Zo'n lief jongetje, wie wil dat nou niet?'

Lepel kijkt even naar hem op. Meent hij het?

'We hebben Broer gevraagd, maar ze moest er niet aan denken,' zegt Pleun.

'Hebben jullie Broer gevraagd?' vraagt Max vol bewondering. Hij staat op en denkt na. Als ik nou eens... Hij draait zich om naar Lepel.

'Lepel, door mijn werk, eh... denk ik dat ik... dat ik wel kijk heb op vrouwen... Wat zou je ervan vinden als ik er eentje voor je uitzoek? Een moeder bedoel ik.'

Lepel kijkt hem aan. Meent hij het?

Max lacht verlegen. 'Jij krijgt morgen een moeder. Een hele lieve. De liefste die ik kan vinden. Dat is beloofd.'

Lepel kijkt Max dolblij aan. Hij pakt zijn chocolademelk en neemt een grote slok.

14

Als Max de volgende ochtend bij de BroMo aankomt, staat Broer voor de deur te praten met een politieagent. Ze wijst op een gebroken raam en zegt: 'Zoveel rommel, maar ik mis niets. Onbegrijpelijk, wat zoeken ze hier?'

Max loopt door naar binnen, naar de damesafdeling. Hij pakt een stapel kaartjes met *Speciale aanbieding!* onder uit een la bij de kassa en gaat aan het werk. Op ieder kaartje schrijft hij:

Gezocht: lieve moeder, goed kunnende onderstoppen voor lieve zoon, goed kunnende rekenen. Aanmelden in de laatste paskamer.

Hij niet de kaartjes vast aan de dameskleding in de rekken. Aan alle jurken en rokken een. Als hij een aardige moeder langs ziet komen, drukt hij haar meteen een leuk jurkje in handen. Maar de vrouw zegt vriendelijk dat ze iets voor haar dochtertje zoekt en geeft hem de jurk weer terug.

Jammer, denkt Max.

Lepel is wakker geworden in het bed van Max. Het duurt even voordat hij weet waar hij is. Hij maakt Pleun die naast hem ligt, wakker en springt het bed uit.

Dan strijkt hij zijn kleren glad en kamt zijn haar met spuug.

'Zie ik er zo netjes uit?' vraagt hij.

'Al dat gedoe voor dat mens,' zegt ze.

'Dat mens... ze wordt mijn móéder!' Lepel is verontwaardigd. Maar dan ziet hij dat Pleun tranen in haar ogen heeft. 'Wat is er, Pleun?'

Ze slikt en vertelt: 'Ik probeerde altijd lief voor haar te zijn, maar het was alsof ik lucht was. Ze zag het nooit. Alleen als ik iets fout deed. Toen ik een keer in het schuurtje moest slapen, ben ik een week weggebleven. Om haar lekker ongerust te maken. Maar ze merkte het niet eens. Lucht mis je niet.'

Lepel gaat naast haar op het bed zitten.

'Ik snap het wel,' zegt ze stoerder dan ze zich voelt, 'ik mis haar ook niet. Waarvoor heb ik een moeder nodig? Ik kan alles zelf.'

'En je vader dan?' vraagt Lepel.

'Die vergeet altijd alles. Mij ook.'

Lepel is er stil van. Hij vindt het heel erg voor Pleun.

'Als ik een moeder heb gevonden, zullen we er dan samen mee doen?' vraagt hij.

Ze schudt zachtjes nee. 'Eén moeder was wel genoeg. Ik vind het best om in de winkel te wonen.'

Dan wrijft ze haar ogen droog en staat op. 'Kom, we gaan... Je weet het toch wel zeker? Dat je een moeder wilt?'

Pleun en Lepel lopen door de BroMo. Lepel is zenuwachtig als hij eraan denkt dat zijn nieuwe moeder hier is. Pleun doet stoer: 'Vannacht heb ik het hier weer lekker rustig. Heb ik de hele winkel weer voor mezelf.'

Voor het laatste pashokje staat een lange rij dames. Verlegen loopt Lepel erlangs. Hij ziet allerlei soorten moeders. Dikke en dunne. Moeders met kort of lang haar. Moeders die het hoogste woord hebben en moeders die niets zeggen. Chique moeders en heel gewone. Moeders die zoet en moeders die zuur kijken.

'Nou? Welke wil je?' vraagt Pleun. Maar Lepel vindt er niet één direct heel leuk.

Ze gaan het pashokje in naast dat waarin Max de moeders ontvangt en trekken zich op aan de wand, zodat ze eroverheen kunnen kijken.

Max vraagt wat aan een vrouw met een baby. De baby huilt zo hard dat hij er niet bovenuit komt. En ze verstaan niets van wat de vrouw antwoordt.

Max kijkt naar hen.

Nee, schudden ze.

Max opent het gordijn en laat de vrouw uit.

Andere moeders komen binnen. De een na de ander. Lepel is gaan zitten. Zenuwachtig speelt hij met een hangertje. Hij luistert naar de gesprekken die Max naast hen voert. Pleun hangt nog steeds over het hokje heen.

De ene moeder vraagt of hij kan afwassen; de andere of hij schoenen poetst, weer een andere moeder vraagt of hij knopen kan aannaaien.

Nee, schudt Pleun telkens.

'Heel vriendelijk bedankt voor de moeite, maar ik zoek nog even verder,' zegt Max dan weer.

Hij laat een moeder binnen met een schrille, hoge stem. Lepel voelt zijn moed zakken. Hij kan er niet meer tegen en loopt uit het pashokje de winkel in.

Zachtjes rekent hij de prijzen van de aanbiedingen uit. '35 procent korting op 79,95 is...'

Broer komt door de klapdeuren binnen en botst pardoes tegen hem op.

'Lepel!' zegt ze vrolijk. 'Wat leuk om je hier te zien. Kom je nog eens langs met Pleun?'

Lepel knikt.

'Nou, hier werk ik dus,' zegt Broer. En weg is ze, snel als altijd. Lepel kijkt haar na als ze naar de pashokjes loopt.

Voor het laatste pashokje staat nog steeds een hele rij dames. Broer kijkt er verbaasd naar. Max houdt het gordijn open voor een moeder, die sip kijkend het pashokje uitgaat. Een volgende gaat naar binnen.

Broer weet niet goed wat ze ervan moet denken.

Ze wijst op de andere pashokjes en zegt tegen de dames in de rij: 'Hier is nog plaats. U kunt deze ook gebruiken hoor.'

Maar iedereen blijft staan.

'Wij komen voor die meneer,' zegt een van de moeders en ze wijst naar Max.

'Krijg je hem erbij?' vraagt een andere moeder.

'Was het maar waar,' zegt de moeder naast haar.

Broer vergeet haar haast. Ze blijft geboeid kijken. Komen ze allemaal voor Max? Wat zien ze in hem? Met haar armen over elkaar kijkt ze eens goed naar Max. Hmmm...

Pleun ziet haar kijken en loopt peinzend naar Lepel toe, die in de buurt van de kassa staat. Ze zegt: 'Lepel, Broer wil geen kind in haar eentje... Maar als ze nou niet meer alleen is?'

Ze kijken allebei naar Broer. Max kijkt op en glimlacht verlegen. Broer bloost en gaat dan snel weer aan het werk.

'Bedoel je met Max bijvoorbeeld?' vraagt Lepel. 'Dat wordt niets. Max durft niet.'

'Hij moet indruk op haar maken,' zegt Pleun.

'Ja, maar niet met chocola,' zegt Lepel.

'Maar hoe dan?'

Opeens weet Lepel het: 'Met een auto natuurlijk!'

15

Bijts rijdt in zijn autootje achter Lepels klas aan. De kinderen lopen in een rij voor hem uit. Ze zijn op weg naar de Harmonie, waar het Stedelijk Hoofdrekenconcours plaatsvindt. Dat wordt helemaal niks zonder Lepel, denkt hij somber.

In een zijstraatje hebben Lepel en Pleun zich verdekt opgesteld. Ze wachten tot de hele klas voorbij is gelopen. Als Bijts' auto vlakbij is, springt Pleun tevoorschijn.

Bijts staat boven op zijn rem.

De klas heeft niets in de gaten en loopt gewoon door. Lepel houdt zich verborgen.

Bijts draait het raampje open.

'Ga weg,' zegt hij tegen Pleun. 'Ik heb haast.'

'Waarom?' zegt Pleun vals. 'Die school van u gaat toch niet winnen.'

Bijts kijkt alsof hij een klap heeft gekregen. Ga weg, wuift hij ongeduldig en hij wil doorrijden.

Maar Pleun blijft dapper staan met haar armen over elkaar.

'Lepel wil wel meedoen met de rekenwedstrijd,' zegt ze. 'Op één voorwaarde.'

Bijts is meteen geïnteresseerd. 'Prima, akkoord. Alles is goed. Waar is Lepel?'

'Eerst de voorwaarde,' zegt Pleun. 'Geef mij uw auto.'

'Nee!' zegt Bijts geschrokken.

'Oké, dan niet. Dan doet hij mee voor een andere school.'

Pleun stapt opzij.

Bijts kreunt. Wat moet hij doen? Zweetdruppels staan op zijn voorhoofd. Natuurlijk, hij wil winnen. Maar zijn auto weggeven... Hij rijdt door, maar bedenkt zich en trapt op de rem.

'Hoe weet ik dat Lepel hierachter zit?' roept hij door het raampje naar Pleun. 'Nou? Hoeveel is 463 x 19?'

Pleun draait zich om naar Lepel en gebaart hem met haar vingers de som: 4-6-3 x 1-9. Lepel gebaart terug.

'8797,' zegt Pleun.

Bijts heeft zijn rekenmachientje gepakt en rekent het na. Het klopt. Lepel is hier!

Pleun geeft Lepel het teken dat hij tevoorschijn kan komen. Bijts straalt als hij hem ziet. Hij gaat het Hoofd-rekenconcours toch nog winnen!

Met Lepel en Pleun achterin rijdt hij naar de Harmonie. Als ze er zijn, zegt Pleun: 'De sleutels.'

Maar daar trapt Bijts niet in. Eerst moet Lepel winnen.

'Kom Lepel,' zegt Pleun. 'We gaan weer.' Ze stappen de auto uit en willen weglopen. Bijts springt uit zijn auto om ze tegen te houden. Hij pakt Lepel stevig beet.

Maar Pleun zegt droog: 'U kunt hem wel vasthouden, maar u kunt hem niet laten winnen. Lepel, hoeveel is 3 x 3?'

'33,' zegt Lepel meteen.

Geschrokken laat Bijts los.

'9,' zegt Lepel.

Pleun vraagt de sleutels opnieuw. Maar Bijts weigert weer. 'Nee,' zegt hij vastbesloten, 'eerst winnen. Anders gaat het niet door.'

Lepel en Pleun kijken elkaar aan.

Oké, knikt Lepel.

De grote zaal van de Harmonie zit vol met kinderen, leraren en ouders. De deelnemers aan het rekenconcours staan in een rij op het podium. Ze hinken nerveus van het ene been op het andere; één meisje bijt op haar nagels. Allemaal behalve Lepel. Hij is de kleinste, maar hij voelt zich heel rustig en zeker.

Op het podium zit de jury. Het zijn drie leraren, die streng voor zich uit kijken. Een juffrouw leest de sommen voor. Ze beginnen gemakkelijk, maar worden steeds moeilijker. Na iedere ronde valt er een kandidaat af. De kinderen doen erg hun best, maar Lepel is hun steeds te snel af. Hij vindt het een makkie.

Bij ieder antwoord dat hij geeft knikt de jury instemmend.

Goed. Weer goed.

Bijts, die in de zaal zit, juicht. Eerst zacht, maar later steeds harder. Pleun zit schuin achter hem.

Op het laatst staat Lepel nog maar met één meisje op het podium. De andere kinderen zijn afgevallen.

'De laatste vraag!' roept de juffrouw opgewonden. 'Hierna weten we welke school naar huis gaat met de Gouden Bokaal. Let goed op en stilte in de zaal!'

Ze leest langzaam voor: '$7\frac{3}{8} \times \frac{19}{25} = ...?$'

De spanning is te snijden.

Het meisje begint meteen te rekenen. Hardop. Met haar vingers houdt ze de telling bij. Maar Lepel zegt niets dit keer. Bijts schrikt en krijgt het er warm van. Pleun tikt hem op de schouder en houdt haar hand op.

'De sleutels,' zegt ze rustig.

Bijts grijpt in zijn broekzak en weet niet hoe snel hij haar de autosleutels moet geven.

Op het podium doet het meisje haar mond al open om te antwoorden. Maar Lepel is haar net weer voor. Zonder een spier te vertrekken geeft hij het juiste antwoord.

'$5\frac{121}{200}$,' klinkt zijn stem helder door de zaal.

De jury knikt driehoofdig ja. Het is goed. Lepel heeft gewonnen!

'De Pancratiusschool is de winnaar van het Stedelijk Hoofdrekenconcours,' roept de juffouw enthousiast.

Juichend springt Bijts op. Pleun kijkt Lepel lachend aan. De zaal gaat uit zijn dak.

'Lepel! Lepel! Lepel!' klinkt het.

Lepel staat stralend op het toneel. Hij krijgt een zoen van de juffrouw en dan natuurlijk de Gouden Bokaal. Trots houdt hij die boven zijn hoofd.

Lepel en Pleun zijn zo in beslag genomen door het feest dat losbreekt, dat ze niet zien dat Bijts naar achteren is geslopen. Hij heeft een telefoon gepakt en staat te bellen. Triomfantelijk vertelt hij van van Lepels overwinning. Hij maakte brede gebaren en houdt de hoorn in de zaal om het uitbundige applaus te laten horen. Daarna luistert hij gespannen naar de andere kant. Hij knikt.

'Ja, ja,' zegt hij gejaagd, 'ik weet wat ik moet doen.'

16

Na het feest stappen Pleun en Lepel in de auto van Bijts. Pleun zit achter het stuur en wil starten, maar de motor slaat af. Lepel zit naast haar met de grote bokaal op zijn schoot. Met een klein stemmetje vraagt ze: 'Als je straks een moeder hebt... kom je dan nog wel eens bij mij logeren?'

'Tuurlijk,' zegt Lepel.

Pleun lacht opgelucht. Ze start opnieuw en dit keer begint de motor te ronken.

Maar net als ze weg wil rijden, trekt Bijts het portier open. Met een grote duw gooit hij haar naar de achterbank en kruipt zelf achter het stuur.

'Lepel!' zegt hij. 'Je ouders zijn geland!'

Niet begrijpend kijkt Lepel hem aan. Wat zegt hij nou? Dat kan toch niet waar zijn?

Pleun roept: 'Lepels ouders zijn dood!'

Maar Lepel luistert niet naar haar. Hij wil horen wat Bijts te vertellen heeft.

'Er is een ballon, een grote luchtballon – je ouders zijn terug. Ik breng je naar ze toe.'

Pleun gelooft er niets van. 'Trap er niet in, Lepel! Hij wil zijn auto terug.'

Lepel weet niet wie of wat hij moet geloven. Het is niet waar. Is het waar?

Terwijl Bijts de stad uitrijdt, praat Pleun verontwaardigd op Lepel in. Hoe kan hij nou zo stom zijn om het te geloven? Bijts liegt, dat zie je toch zo. Maar Lepel zegt niets en kijkt strak naar buiten.

'Lepel, je ouders zijn dood! Max heeft het uitgezocht.'

'Maar als Max zich nou heeft vergist?' zegt Lepel. 'Dat zou toch kunnen...' Hij wil het zo graag.

'Dan moet je het zelf maar weten,' zegt Pleun en ze houdt boos haar mond.

Als ze de stad ver achter zich hebben gelaten, ziet Lepel in de verte in een weiland een grote luchtballon. Zijn hartje springt op. 'Kijk daar!'

Triomfantelijk stuurt Bijts de auto eropaf.

In het gras staat een grote, kleurige ballon met daaronder een mand die wordt vastgehouden door een paar sterke touwen. Wat verderop staat een kleine caravan, maar van ballonvaarders is niets te zien.

Zodra de auto stilstaat, springt Lepel eruit. Hij rent op de ballon af en ziet niet dat Bijts Pleun vasthoudt.

Naar zijn vader en moeder! Ze zijn gekomen om hem op te halen... Eindelijk!

Hij ziet niemand in de mand onder de ballon; toch schommelt die wel een beetje. Zit er iemand in? Oh, denkt Lepel, als dat mijn moeder is... Zijn hart bonst.

Vlak voor de mand staat hij nu.

'Mama?... Papa?'

Niets.

Hij klimt in de mand. En net als hij over de rand kan kijken, krijgt hij de schrik van zijn leven. Als een duveltje uit een doos duikt Koppenol uit de mand op!

Ze gooit de hondenriem om Lepels voet heen en sleurt hem naar beneden. 'Ha-háááá, hebbes!' roept ze met een akelige lach. 'Je bent van mij!'

Lepel is even helemaal overdonderd. Maar hij is niet van

plan zich te laten pakken. Hij vecht terug en trapt en slaat om zich heen.

Boven hem schudt de ballon heen en weer. Het mandje wiebelt. Lepel verzet zich uit alle macht. Maar Koppenol is sterk, beresterk. Het ziet ernaar uit dat hij de strijd gaat verliezen.

Gelukkig heeft Pleun zich weten te ontworstelen aan Bijts. Ze is naar de ballon gerend om Lepel te helpen. Met de Gouden Bokaal in haar handen.

'Lepel!' roept ze. 'Vang!' En ze gooit de bokaal naar hem toe. Lepel vangt hem op en weet wat hij moet doen. Stevig duwt hij de beker over het hoofd van Koppenol, die daardoor helemaal niets meer ziet. Ze scheldt vreselijk en rukt aan de bokaal.

Maar Lepel grijpt snel de hondenriem en bindt daarmee haar handen stevig vast. Ziezo, die zit.

Bijts komt op hen af rennen. Maar Pleun pakt zandzakken uit de mand en gooit die naar hem toe. Eén ervan komt boven op zijn hoofd terecht. Kermend ligt Bijts op de het gras. Uitgeschakeld.

'Maak de touwen los! Snel!' roept Lepel naar Pleun.

Zo vlug als ze kunnen, maken ze de knopen los van de touwen waarmee de ballon is verankerd.

Twee van de touwen zijn al los. De mand hangt nu gevaarlijk scheef en de ballon rukt hem omhoog. Lepel is zo druk bezig dat hij niet merkt dat Koppenol haar handen probeert los te wrikken. Hij heeft het derde touw nu ook los.

Pleun staat op de rand van de mand, met het laatste zandzakje in haar hand. Ze springt op de grond.

'Springen!' roept ze tegen Lepel.

De ballon rukt aan het laatste touw. Hij wil omhoog. Bijna is het touw los.

Lepel wil op de rand van mand gaan staan om naar beneden te springen. Maar Koppenol heeft nu haar handen vrij en trekt de bokaal van haar hoofd. Met een venijnig gebaar slingert ze de hondenriem om Lepels hoofd. Ze trekt hem naar zich toe. Lepel spartelt tegen. De hondenriem doet zeer om zijn hals. Hij zit vast, hij kan geen kant meer op.

Koppenol lacht hard. 'Het spijt me Lepel. Ik had ook liever dat dit niet nodig was. Dat jij een gehoorzaam jongetje was.'

Intussen is Bijts bijgekomen van de klap met de zandzak. Hij ziet dat de ballon bijna wegvliegt. Mijn beker, ik moet mijn beker hebben! denkt hij. Hij stuift op de ballon af en klimt in het enige touw, waarmee de ballon nog vastzit.

Dat schiet los. De ballon is vrij.

Met een harde ruk stijgt de mand op met Lepel en Koppenol erin. Bijts hangt aan het touw eronder. Koppenol trekt Lepel aan de riem naar zich toe, tot zijn gezicht vlak bij het hare is.

'Ik breek je benen!' zegt ze vals lachend.

Lepel voelt zijn woede oplaaien. Zij heeft hem als peuter zomaar meegenomen. Hij haat haar! Hij laat zich niet nog een keer meenemen door dat mens.

Hij verzamelt al zijn kracht en moed en bijt Koppenol keihard in haar hand. Jankend van woede en pijn laat ze hem los.

Lepel bedenkt zich geen moment. Hij klimt op de rand van de mand om naar beneden te springen. Als hij ziet hoe hoog de ballon al is, aarzelt hij. Heel even. Dan zet hij af en springt.

78

Pleun ziet hem springen. Ze slaat haar handen voor haar ogen, ze durft niet meer te kijken. Dan haalt ze heel langzaam haar handen weg. Bang voor wat ze zal zien.

Lepel is op de zandzakken terechtgekomen. Hij ligt doodstil.

Pleun geeft een gil.

'Lepel?'

Niets.

'Lépel?!'

Maar dan ziet ze een arm bewegen. En een been. Hij leeft nog. Gelukkig. Ze kan haar ogen niet geloven. Hij mankeert niets!

Ze rent op hem af. Ze wil hem wel omhelzen, zo blij is ze.

Lepel komt bij. Hij krabbelt overeind en trekt de hondenriem van zijn hals.

Boven hen zweeft de ballon met Koppenol in de mand en Bijts hangend aan het touw. Het is een koddig gezicht. Hun getier en gescheld klinkt steeds verder weg.

Pats! Wat was dat? Er viel iets uit de lucht. Vlak naast Lepel. Lepel kijkt en ziet de autosleutels liggen, die uit Bijts broekzak zijn gevallen.

Grinnikend raapt hij ze op.

'Ga je mee? We gaan naar mijn moeder,' zegt hij tegen Pleun.

Ze lopen terug naar de auto.

'Wil jij rijden?' vraagt Lepel. 'Ik heb vandaag al gevlogen.'

Opgelucht stappen ze in. Pleun start de auto en rijdt weg.

Boven hen vliegt de ballon. Hoger en hoger.

Terwijl Pleun en Lepel het weiland af rijden, gaat achter hen de deur van de caravan open. Twee ballonvaarders stappen eruit. Hun thee gedronken, klaar voor de vlucht.

Stomverbaasd kijken ze om zich heen.

Geen ballon!

Ze begrijpen er niets van. Zijn ze gek geworden?

Een van de mannen ziet iets glinsteren in het gras. Hij loopt ernaar toe en ziet de gouden bokaal liggen. Niet begrijpend pakt hij het ding op.

Als hij weer opkijkt, ziet hij nog net hoe in de verte een kleine auto de weg opdraait.

Vrolijk kletsend rijden Lepel en Pleun naar de BroMo, om te kijken of Max al een leuke moeder voor Lepel heeft gevonden. Pleun rijdt alsof ze al jaren achter het stuur zit.

Op de damesafdeling is Max nog steeds druk bezig. Maar de rij voor het laatste pashokje is niet meer zo lang. Lepel en Pleun horen hem zeggen: 'Het is een leuk kind. Lief. Slim. Makkelijk ook.'

Lepel glimt.

'Lekker onderstoppen,' zegt Max. Daar houdt ie van.'

'Onderstoppen?' vraagt de vrouw. 'Kan hij niet alleen naar bed?'

Uiteindelijk laat Max de laatste moeder uit. Uitgeput gaat hij zitten op het krukje in de paskamer.

'Pffff, ik heb honderdzevenenzestig moeders gesproken. Wie is de liefste? Het is moeilijk... ik moet hier heel goed over nadenken.'

Maar Lepel en Pleun hebben een heel ander plan. Lepel heeft een leren jack uit een rek gepakt en gooit dat op Max zijn schoot. 'Ga je mee?'

Max kijkt verbaasd op. 'Wat gaan we doen?'

'We gaan een eindje rijden. Kun je rustig nadenken,' zegt Pleun.

'Autorijden? Dat kan ik helemaal niet,' zegt Max. Maar daar wil Pleun niet aan.

'Iedereen kan rijden,' zegt ze. 'Daar is niets aan.' En ze nemen hem mee naar de auto.

17

Max heeft zich in de kleine auto van Bijts gewurmd. Half dubbelgevouwen zit hij achter het stuur, met zijn hoofd tegen het dak. Lepel zit naast hem.

'Waar is Pleun?' vraagt Max.

'Die komt zo,' zegt Lepel, en hij legt Max uit waar de koppeling zit en het gaspedaal en de rem.

Ze zien hoe Broer de deur van de BroMo sluit en in haar jeep stapt om naar huis te gaan. Met een flinke dot gas rijdt ze weg.

'Waar gaan we heen?' vraagt Max. Hij kijkt benauwd.

'Gewoon rijden,' zegt Lepel. 'Linksaf. Een beetje gas.'

Max doet precies wat Lepel zegt en voorzichtig rijdt hij weg. Het gaat goed. Opgelucht lachend kijkt hij naar Lepel, die lachend terug kijkt.

'Het is nog niet eenvoudig hoor, om een lieve moeder te vinden,' zegt Max als ze een eindje rijden. 'Wie neem je? Een slagroom- of een worteltjesmoeder? Eentje die de oren van je kop kletst of eentje die niets zegt? Een hollen- of stilstaanmoeder? Ajax of Feyenoord?'

Dan ziet hij opeens de auto van Broer voor hen rijden.

'Daar gaat Broer. Straks denkt ze dat we haar volgen.' Hij remt af. 'Ik ga niet achter Broer aan.'

'Gas,' zegt Lepel. Maar Max reageert niet.

'Gas!' roept Lepel weer en hij drukt op de toeter.

Max geeft een beetje gas.

'Meer,' roept Lepel, 'harder.' En Max drukt het gaspedaal

dieper in. Hij begint er lol in te krijgen.

'Autorijden is toch wel leuk,' zegt hij vrolijk. En met een flinke vaart rijden ze door de straten, achter Broer aan.

Broer kijkt in haar achteruitkijkspiegeltje en ziet een kleine, groene auto. Ze slaat linksaf. De kleine, groene auto achter haar ook. Ze geeft extra gas. De auto achter haar ook. Ze snijdt een bocht af en jawel, de auto achter haar doet precies hetzelfde.

Dan pas ziet ze Pleun op de achterbank van haar jeep zitten. Pleun steekt haar hand op. 'Hoi! Ik dacht, ik kom weer eens langs.'

'Gezellig,' zegt Broer. 'Ben je alleen?'

Pleun kijkt eens achterom naar de kleine auto, die hun tempo volgt. 'Nnnja,' mompelt ze.

Max rijdt nu lekker door. Ook het koppelen gaat goed.

Mooi zo, denkt Lepel en hij kijkt naar de jeep voor hen.

'Dat is Pleun die daar achterin zit,' zegt hij.

Verbaasd kijkt Max hem aan.

Broer kijkt geïnteresseerd in haar spiegeltje. 'Dat zie je niet vaak, dat ze me kunnen bijhouden.'

'Het is een goeie,' zegt Pleun nonchalant.

'Ken je hem?'

Pleun knikt. 'Ze noemen hem de scheurchauffeur, die man kan alles.'

'Mmm, dat zullen we eens zien.' Broer trapt het gaspedaal diep in en scheurt door de bocht. Ze glippen nog net door een stoplicht dat al op oranje staat.

'Ha!' lacht ze tevreden en ze rijdt naar de pont.

Rood. Pech!

Max en Lepel moeten stoppen voor het stoplicht. Lepel bijt op zijn nagels. Max trommelt met zijn vingers op het stuur.

Groen. Eindelijk!

Max geeft een dot gas en scheurt weg. Hij haalt de auto's voor hen in en gaat piepend door de bocht. Hij geniet.

Naar de pont!

De kapitein van de pont wil net het hek van de boot sluiten om af te varen. In de verte hoort hij een auto op hoge snelheid aankomen. Hij lacht breed als hij de jeep van Broer herkent en laat het hek openstaan. Broer rijdt de pont op. Precies op tijd.

Lepel en Max zien dat de pont in beweging komt. Max staat boven op de rem. Ze zijn te laat!

Maar Lepel rekent mompelend: '200 x 40, 80, 120....'

'Doe wat ik zeg,' zegt hij en hij kijkt Max streng aan.

Max begrijpt zijn bedoeling, maar hij aarzelt. Hij durft niet.

Hij kijkt naar de wegvarende veerboot en ziet hoe Broer op het achterdek vrolijk een praatje maakt met de kapitein. Die lacht haar vriendelijk toe. Hij voelt een steek van jaloezie.

'Oké,' zegt hij. 'Wat moet ik doen?'

Hij luistert.

'In zijn één,' zegt Lepel. Max geeft gas. Klaar voor de aanloop. Daar gaat de kleine auto op de kade af.

'Door naar zijn twéé... drié... viér...'

De auto krijgt meer en meer snelheid.

'100, 120…!' roept Lepel naar Max, en steeds harder gaat de auto. Ze zijn nu vlak bij het water.

Met een enorme sprong rijden ze de kade af. Ze vliegen in de lucht, met een boog over het water.

'Remmen! Nu!' roept Lepel.

Max reageert prompt. En de auto landt precies op de pont. Keurig achter de jeep van Broer.

Max en Lepel kijken elkaar aan.

'Zie je wel,' zegt Lepel.

Max lacht opgelucht.

De kapitein van de pont heeft met open mond naar het huzarenstukje staan kijken.

'Komen er nog meer?' vraagt hij aan Pleun.

'Nee,' antwoordt ze. 'Dit was het.'

Broer staat op het dek en kijkt nieuwsgierig naar de kleine auto. Max zit erin en beweegt niet.

Lepel knikt hem bemoedigend toe. 'Je durft het best.'

Max raapt al zijn moed bij elkaar en stapt uit. Hij kucht verlegen en slaat de kreukels uit zijn pak.

Lepel is ook uitgestapt. Hij geeft hem een duwtje in de richting van Broer.

Die weet niet wat ze ziet. Max? Wat kan die man rijden!

Met rode blosjes op haar wangen kijkt ze hem aan.

Pleun geeft haar een zetje in de richting van Max.

'Je rijdt lekker door, Max.'

'U ook trouwens.'

Broer aait de auto van Bijts even. 'Hoeveel cilinder is die van jou, als ik vragen mag?'

Max heeft geen idee. Hij wil zich omdraaien naar Lepel, maar bedenkt zich.

'Het cilindertal... Ach, het gaat om de drijfveer van de chauffeur. En gas houden natuurlijk.'

Hij legt zijn hand op de auto van Broer.

'En de juiste spanning...' zegt Broer.

Max kijkt haar niet begrijpend aan.

'...van de banden,' zegt Broer dan.

Ah! Max knikt opgelucht.

Hij loopt een rondje om de jeep. Broer ook. Max schopt eens tegen de banden.

Zo draaien ze verlegen om elkaar heen.

Toe nou! gebaart Lepel naar Max.

Vooruit! zegt Pleun met haar ogen tegen Broer.

Oké! denkt Max.

Oké! denkt Broer.

En ze draaien zich allebei tegelijk om, zodat ze - oeps - tegen elkaar aan botsen.

En dan kussen ze. Niet een kus*je*. Maar een kus. Héél lang. Net als in een film.

Het begint te regenen, maar Max en Broer merken het niet. Ze hebben alleen oog voor elkaar.

De boot bereikt de overkant. De kapitein pakt de trossen. Auto's en fietsers verlaten de boot. Nieuwe komen er weer op. De pont vaart weer af.

Heen en weer.

Heen en weer.

Max en Broer merken niets. Hun kus is nog lang niet afgelopen.

De kapitein ziet het vanuit zijn stuurhut.

'Dat kan nog wel even duren,' zegt hij tegen Lepel en Pleun. 'Willen jullie binnen zitten?'

86

Hij schenkt warme chocolademelk voor hen in.

Tevreden kijken Lepel en Pleun door het raampje. Dat gaat goed daar.

Eindelijk snakken Max en Broer naar adem. Uitgezoend.

Broer kijkt Max verliefd aan.

Die kijkt stralend terug.

'Max,' zegt ze plechtig. 'Wil jij met mij... naar Afrika?'

'Ja, ik wil,' zegt hij dan eenvoudig.

En ze geven elkaar weer een hele lange zoen.

Maar dan lopen Lepel en Pleun naar hen toe. Het duurt ze te lang.

'Hé Lepel! Ha Pleun!' zegt Max betrapt als hij ze ziet.

'Ik wist helemaal niet dat jullie elkaar kenden,' zegt Broer. Ze schraapt haar keel. 'Zullen we het hun vertellen, Max?'

Maar voordat Max ja kan zeggen, zegt Pleun: 'We weten het al.'

'Allang, het was ons eigen plan,' zegt Lepel.

Broer kijkt verbaasd. 'Dus jullie weten dat Max en ik...?'

Lepel en Pleun knikken alsof het de gewoonste zaak van de wereld is.

'Max heeft beloofd dat Lepel vandaag een nieuwe moeder krijgt,' zegt Pleun. 'Dus...'

Ongerust kijkt Broer Max aan.

'Ja, eh... dat viel nog niet mee,' stamelt Max. 'Om een geschikte moeder te vinden.'

Pleun legt Broer uit dat Max er eentje zou uitzoeken. Lepel luistert stilletjes in een hoekje mee.

'En daarom hebben wij geholpen,' besluit Pleun.

'Er zijn veel moeders,' zegt Max. 'Strenge, nette, stille,

verstandige. Maar Lepel heeft recht op een líéve moeder.'

'Wij vinden het niet erg dat u niets van kinderen weet,' zegt Pleun.

Nu schrikt Broer echt. Ze kijkt Max aan, maar die schudt heftig nee.

'Ik ben geen moeder,' zegt Broer. 'Het spijt me. Opvoeden? Ik zou niet weten hoe dat moet.'

Ondertussen heeft de pont weer aangelegd. Auto's en fietsers zijn af en aan gereden.

'Lepel heeft nog nooit een moeder gehad. Hij denkt nog dat het leuk is. Hè Lepel?' zegt Pleun.

Maar Lepel antwoordt niet.

'Lépel?' Pleun kijkt verbaasd om zich heen. Waar is hij? Ze rent samen met Max en Broer het dek over om hem te zoeken, terwijl de boot weer naar de andere kant vertrekt.

Waar is Lepel?

Max ziet hem het eerst. Hij staat op de kade waar ze vandaan varen. Alleen, in de druilerige regen.

'Stop!' roept Max naar de kapitein. 'We moeten terug!'

Maar de kapitein legt uit dat dat niet kan. De boot ligt aan een lijn en draaien kan niet. Ze moeten wachten tot ze terugvaren. Niets aan te doen.

Max ziet hoe Lepel zich omdraait en wegloopt.

'Lepel!' schreeuwt hij wanhopig. 'Lépel!!'

Hij staat aan de rand van de boot. Voor hem kolkt het woelige water. Hij aarzelt. Maar dan gooit hij zijn schoenen en jasje uit en duikt de golven in. Met krachtige slagen zwemt hij naar de kade.

Lepel is van de kade weggelopen. Waarheen weet hij niet. Het maakt niet uit. Verdrietig kijkt hij naar de lucht. De wind jaagt donkere wolken vooruit. Hij voelt zich alleen op de wereld. Een straathond sjokt met hem mee.

Opeens voelt hij een hand op zijn schouder. Hij draait zich om en ziet een druipnatte Max staan.

'Lepel,' zegt Max met verstikte stem.

Maar Lepel duwt zijn hand weg en rent het donker in.

'Ga weg,' roept hij kwaad. 'Ik zorg wel voor mezelf!'

Max gaat hem achterna.

Lepel staat stil en schreeuwt: 'Heb je een moeder voor me? Nou?! Nou?!'

'Nee,' zegt Max. 'Ik heb echt mijn best gedaan, Lepel, maar ik heb niemand kunnen vinden.'

'Ik zou een moeder krijgen!' roept Lepel. 'Je hebt het zelf beloofd! Je hebt het beloofd!'

Max zoekt naar woorden om het uit te leggen. 'Lepel, jouw moeder, dat moet echt een hele lieve zijn. Ik heb er honderdzevenenzestig gesproken, maar ze zat er niet bij.'

'En nou heb ik niets!' zegt Lepel en kwaad loopt hij weg.

Max gaat hem weer achterna.

'Lepel,' roept hij. Hij aarzelt. 'Lepel, ik weet nog wel iemand die lekker kan onderstoppen, die graag zwemt, en...' zegt hij zacht, '...die heel veel van je houdt.'

Hoopvol draait Lepel zich om. Heeft Max dan toch een moeder gevonden?

'Maar er is wel een probleem,' zegt Max.

Lepels gezicht verstrakt.

Max gaat op zijn hurken voor Lepel zitten.

'Lepel, je moeder... mag dat ook een vader zijn?'

Lepel kijkt Max aan. Hij begrijpt het niet. Wat bedoelt hij?

Verlegen wijst Max naar zichzelf.

Dan begrijpt Lepel het. Weg is zijn woede. Heel zacht
zegt hij: '19 x 19...'
'Wat?' vraagt Max onzeker.
Lepel springt in zijn armen. '361!' roept hij dolblij.
Max tilt hem lachend op, zo hoog als hij kan.

18

Het is de grote dag. Achter de winkel staat het voltallige winkelpersoneel om de jeep van Broer heen. De gevel is versierd met vrolijke vlaggetjes en slingers en aan de achterkant van de jeep zijn ballonnen vastgemaakt.

Broer checkt het oliepeil nog een keer en geeft een paar schoppen tegen de banden.

Max schudt iedereen de hand.

'Nou, bedankt dan maar, hè, en tot ziens. We sturen gauw een kaartje.'

Lepel en Pleun staan klaar om in te stappen. Allemaal dragen ze een stoer tropenpak.

Broer start de auto en Max, Lepel en Pleun stappen in.

Nu gaat het beginnen, de rally van de Tiger Trophy. Opgewonden en blij kijken ze elkaar aan.

Ze zijn er klaar voor!

'Dag, tot ziens!' De winkelmeisjes zwaaien. 'Rij voorzichtig en veel succes!' roept Evert.

Max steekt zijn twee duimen omhoog. Dan trapt Broer het gaspedaal diep in. De jeep scheurt weg met piepende banden.

Op weg naar de Tiger Trophy!